Non! à la dictature de la poutine et de la tarte au vinaigre. Prends soin de toi. Bizzz

Papa

La cuisine facile des

étudiants
au Québec

Tableau des symboles :

 Temps de préparation

 Temps de cuisson

❄ Temps de réfrigération

⏳ Temps de repos

 Difficultés

 Nombre de personnes

Crédits des photographies :
Shutterstock et Studio City

© City Editions 2012

ISBN : 978-2-8246-0211-0
Code Hachette : 50 9422 2

Rayon : Cuisine
Catalogue et manuscrits : www.city-editions.com

Dépôt légal : troisième trimestre 2012
Imprimé dans la C.E.E.

Index
des recettes

Riz et pâtes

Les plats de poissons

Index thématiques des recettes

Dîner à deux

Repas en solo

Vite fait bien fait

Mise en appétit

Difficile de cuisiner quand on est étudiant, qu'on a un rythme de vie irrégulier et qu'on ne sait jamais combien de copains s'inviteront ce soir… Pourtant, il suffit d'un peu d'organisation et les repas peuvent devenir simples, conviviaux et surtout délicieux.

Pour commencer, il faut savoir faire les courses d'une manière intelligente, c'est-à-dire en faisant une provision de produits de base et de longue conservation qui permettront en toute occasion et à tout moment d'improviser un véritable festin. Parmi ces produits miracles, on trouve bien entendu les conserves de légumes nature (petits pois, cœurs de palmiers, maïs, tomates pelées, lentilles, pois chiches, champignons…), les conserves de poisson (thon au naturel, anchois, sardines à l'huile d'olive…) et des pâtes et du riz en grande quantité. Si vous allez au marché régulièrement pour chercher les produits frais, vous serez toujours prêt.

Manger équilibré, c'est avant tout manger varié, ce qui n'empêche pas d'être gourmand. Des apéritifs ou des entrées savoureuses à picorer au fil de la discussion en attendant que la quiche finisse de cuire, des légumes crus colorés que l'on trempe dans des sauces épicées ou fraîches avant de déguster un riz pilaf au poisson, et les meilleures recettes de desserts faciles à réaliser comme le tiramisu, le far breton ou les véritables cookies.

L'essentiel est de ne pas abuser des sucres ni des matières grasses, car la santé passe en grande partie par l'alimentation.

En période de préparation d'examens, n'oubliez pas de consommer beaucoup plus de poisson que d'habitude, car le poisson est excellent pour la mémoire.

Les recettes que vous trouverez dans ce livre ne nécessitent pas de matériel particulier et en général ne demandent pas plus de deux feux ou plaques de cuisson. Plusieurs recettes se font au four, certaines peuvent aussi se préparer à la poêle ou dans une cocotte. Il vous faudra cependant quelques ustensiles de cuisine de base pour être plus à l'aise lors des préparations :

- une passoire
- un fouet
- une cuillère et une spatule en bois
- un grand bol en verre ou en plastique (qui peut aussi faire office de saladier)
- un plat à gratin
- un moule à tarte
- une planche à découper
- une poêle antiadhésive
- une casserole
- une grande casserole avec couvercle
- un verre doseur et une balance

Si vous ne possédez ni verre doseur ni balance, voici quelques indications qui vous permettront de vous en passer le temps de vous en procurer :

- un verre à moutarde :
  100 g de farine
  150 g de sucre
  20 cl

- une cuillère à soupe rase :
  10 g de farine
  15 g de sucre en poudre
  2 cl

- une cuillère à café rase :
  4 g de farine
  7 g de sucre en poudre

Plus on cuisine, moins ça nous prend de temps ; donc, ne vous laissez pas décourager si au début vous trouvez que la préparation prend trop longtemps. Commencez par des recettes simples et, dès que vous aurez le tour de main, vous ferez la cuisine sans même y penser. Par ailleurs, la préparation des repas est un moment où l'on peut tranquillement réfléchir à sa journée, écouter de la musique, se détendre en se concentrant sur un travail manuel après de longues heures de révisions intensives.

Les apéritifs

🖊 *1 h*
🕐 *15 mn*
😊 *Facile*
✗ *12 personnes*
🛒 *de 1 à 3 €*

Entre copains

250 g de polenta

70 g de parmesan râpé

1 bocal de tapenade noire

1 bocal de tapenade verte

1 poivron rouge

Huile d'olive

Sel

Poivre

👨‍🍳 Notes :

....

....

....

....

Polenta
à la tapenade

Facile à préparer, cet apéritif
savoureux surprendra vos amis.

1. Préparez la polenta comme indiqué
sur le paquet, salez, poivrez et ajoutez
le parmesan.

2. Versez la polenta dans un plat à gratin,
lissez et laissez refroidir.

3. Faites cuire le poivron entier dans de
l'eau bouillante ou à four chaud pendant
20 minutes, puis emballez-les dans un sac
plastique et laissez refroidir.

4. Coupez la polenta en cubes et faites-les
dorer dans une poêle avec de l'huile d'olive.

5. Épluchez le poivron et coupez
la chair en lanières.

6. Déposez une cuillère de tapenade
sur chaque dé de polenta et décorez
d'un morceau de poivron.

*Conseil : la tapenade peut être remplacée par
des anchois marinés ou un peu de pesto.*

Toasts aux aubergines fondantes

Des toasts aux saveurs méditerranéennes bien soutenues et délicieusement moelleux.

🖊 20 mn
🕐 10 mn
😋 Facile
✂ 2 personnes
🛒 de 3 à 5 €

Dîner à deux

1. Lavez l'aubergine et coupez-la en rondelles d'un centimètre d'épaisseur.

2. Déposez-les sur une plaque couverte d'une feuille de papier sulfurisé.

3. Arrosez-les d'huile d'olive, passez-les au gril 5 minutes, retournez-les, saupoudrez d'origan et recommencez.

4. Sortez-les du four et déposez-les sur les tranches de pain avec un morceau de mozzarella, un peu de basilic ciselé, une demi-tomate cerise.

5. Saupoudrez avec du parmesan, salez et poivrez et passez encore 2 minutes sous le gril.

1 aubergine

4 tranches de pain de campagne

3 brins de basilic

1 c.c. d'origan

1 boule de mozzarella

150 g de tomates cerises

20 g de parmesan râpé

Huile d'olive

🍳 Notes :

....

....

....

....

🖊 *15 mn*
🕐 *1 h*
💭 *Facile*
✂ *12 personnes*
🛒 *de 1 à 3 €*

Entre copains

8 œufs

2 poivrons rouges

1 oignon

2 pommes de terre

4 c.s. d'huile d'olive

Sel

Poivre

Tortilla aux poivrons

C'est si simple à réaliser et si bon qu'on vous en redemandera !

1. Faites cuire les pommes de terre dans de l'eau salée bouillante pendant 20 minutes environ, épluchez-les et coupez-les en cubes.

2. Émincez l'oignon, lavez les poivrons et coupez-les en petits dés, puis faites revenir avec l'huile.

3. Battez les œufs avec un peu de sel et de poivre, ajoutez les pommes de terre et les poivrons.

4. Préchauffez le four à 180 °C (th. 6) et huilez un plat à gratin.

5. Versez la préparation dans le plat et mettez au four 20 à 30 minutes.

6. Laissez refroidir et coupez en morceaux avant de servir.

Conseil : variez les ingrédients de la tortilla : jambon, olives, fromage, aubergines…

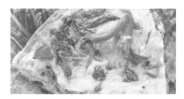

🍲 Notes :

....

....

....

....

Choux apéritifs au fromage

Des petits choux qui font le bonheur de tous les gourmands et qui sont si jolis à voir.

30 min
15 min
30 min
Moyen
6 personnes
de 1 à 3 €

Entre copains

1. Faites chauffer l'eau avec le sel et le beurre.

2. Au point d'ébullition jetez la farine et tournez la pâte pour la faire sécher.

3. Retirez du feu, incorporez les œufs entiers un à un et laissez refroidir.

4. Ajoutez ensuite le fromage et poivrez.

5. Préchauffez le four à 200 °C (th. 7) et couvrez une plaque de papier sulfurisé.

6. Déposez des petits tas de pâte sur la plaque et mettez au four 15 à 20 minutes.

10 cl d'eau

½ c.c. de sel

100 g de beurre

120 g de farine

4 œufs

150 g de fromage râpé

Conseil : vous pouvez ajouter une demi-cuillère à café de muscade râpée dans la pâte pour la parfumer.

 Notes :

....

....

....

....

🖊 30 min
🕐 15 min
⏳ 30 min
💬 Moyen
✂ 2 personnes
🛒 de 3 à 5 €

**Dîner
à deux**

8 cl d'eau

½ c.c. de sel

50 g de beurre

60 g de farine

2 œufs

2 tranches de
saumon fumé

½ bouquet
de basilic

40 g de
fromage râpé

👨‍🍳 Notes :

....

....

....

....

Choux apéritifs
au saumon

Gourmands et savoureux,
ils vont vite disparaître !

1. Faites chauffer l'eau avec le sel et le beurre.

2. Au point d'ébullition, jetez la farine et tournez
la pâte pour la faire sécher.

3. Retirez du feu, incorporez les œufs entiers
un à un et laissez refroidir.

4. Lavez et ciselez le basilic ; coupez le saumon
en petits morceaux.

5. Ajoutez le fromage, le saumon et le basilic,
poivrez et mélangez bien.

6. Préchauffez le four à 200 °C (th. 7)
et couvrez une plaque de papier sulfurisé.

7. Déposez des petits tas de pâte sur la plaque
et mettez au four 15 à 20 minutes.

*Conseil : vous pouvez remplacer le basilic par
de l'aneth pour un mélange plus traditionnel.*

Mini-cakes aux olives et à la tapenade

Des petits cakes faciles
à préparer et toujours plébiscités.

 20 mn
 20 mn
 Facile
X 12 personnes
🛒 de 3 à 5 €

Entre copains

1. Hachez grossièrement les olives ensemble.

2. Mettez la farine, la levure et 1 cuillère
à café de sel dans un saladier.

3. Cassez les œufs et incorporez-les au fouet
en évitant les grumeaux.

4. Versez l'huile puis le lait en mélangeant,
ajoutez les olives et poivrez un peu.

5. Préchauffez le four à 180 °C (th. 6) et huilez
12 petits moules à cakes.

6. Versez la pâte dans les moules jusqu'à
1 centimètre du bord et mettez 20 minutes
environ au four.

200 g de farine

3 œufs

10 cl de lait

10 cl d'huile

1 sachet de levure

**100 g d'olives
vertes dénoyautées**

**100 g d'olives
noires dénoyautées**

Sel

Poivre

*Conseil : pour vérifier la cuisson, plantez la lame d'un
couteau dans un cake. Elle doit en ressortir propre.*

Notes :

....

....

....

....

✎ 10 mn
🕐 10 mn
🐑 Facile
✗ 1 à 4 personnes
🛒 de 1 à 3 €

Repas
en solo

1 pâte feuilletée

150 g de fromage
de chèvre frais

250 g de
tomates cerises

Huile d'olive

Thym

Sel

Poivre

Mini-tartelettes
aux tomates cerises

Les tomates cerises et le fromage de chèvre font
toute la saveur de ces mini-tartelettes.

1. Préchauffez le four à 180 °C (th. 6)
et étalez la pâte feuilletée.

2. Découpez des fonds de tarte pour
les moules à mini-tartelettes.

3. Déposez dans chaque fond de tarte
un peu de fromage de chèvre.

4. Ajoutez deux demi-tomates, arrosez d'un
peu d'huile, saupoudrez de thym, de sel
et de poivre.

5. Mettez au four pendant 10 minutes
et servez tiède.

Conseil : vous pouvez aussi faire cuire
les mini-tartelettes dans des moules à mini-muffins :
c'est plus pratique et plus économique.

 Notes :

....

....

....

....

Tartelettes au thon

Faciles et économiques, ces tartelettes sont idéales pour les petits creux de fin de journée.

✎ 10 mn
🕐 30 mn
💭 Facile
✂ 2 personnes
🛒 de 3 à 5 €

Dîner
à deux

1. Préchauffez le four à 180 °C (th. 6) et étalez la pâte feuilletée.

2. Découpez des fonds de tarte pour les moules à tartelettes.

3. Égouttez le thon et répartissez-le dans les tartelettes.

4. Fouettez l'œuf avec la crème et le lait, salez et poivrez.

5. Versez cette préparation sur le thon, déposez une rondelle de tomate, puis couvrez de fromage.

6. Mettez les tartelettes au four pendant 30 minutes environ.

1 rouleau de pâte feuilletée

200 g de thon au naturel

1 tomate

1 œufs

5 cl de crème liquide

5 cl de lait

20 g de fromage râpé

Sel et poivre

Conseil : remplacez le fromage par de la mozzarella pour obtenir des tartelettes très moelleuses.

🍳 Notes :

....

....

....

....

✎ 5 mn

👨‍🍳 Facile

✂ 6 personnes

🛒 de 1 à 3 €

Entre copains

Sauce au curry

Une sauce onctueuse et parfumée,
parfaite pour partager
un moment convivial.

500 g de
fromage blanc

2 c.s. de ketchup

1 c.c. de curry
en poudre

1 pointe de piment
de Cayenne

Sel

Poivre

1. Mélangez le fromage blanc avec
le ketchup, le curry et le piment.

2. Laissez au réfrigérateur 1 heure,
puis goûtez et ajustez l'assaisonnement.

3. Servez avec des allumettes de pain de
campagne grillé et des légumes crus.

*Conseil : vous pouvez ajouter
1 cuillère à soupe de moutarde
à l'ancienne pour relever la sauce.*

 Notes :

....

....

....

....

Sauce fraîche

10 mn
Facile
6 personnes
de 1 à 3 €

Des herbes bien fraîches et du fromage blanc :
cette sauce printanière est à déguster
avec des légumes croquants.

Vite fait
bien fait

1. Rincez, ciselez et mélangez les herbes
avec le fromage blanc.

2. Salez et poivrez.

3. Laissez au réfrigérateur 1 heure.

4. Goûtez et ajustez l'assaisonnement
avant de servir.

500 g de
fromage blanc

10 brins
de basilic

5 brins
d'estragon

Sel

Poivre

*Conseil : cette sauce peut aussi
servir d'accompagnement pour des
pommes de terre sautées ou bouillies.*

Notes :

....

....

....

....

🖊 *15 mn*
👨‍🍳 *Moyen*
✂ *6 personnes*
🛒 *de 1 à 3 €*

Entre
copains

200 g de crabe

1 œuf

30 cl d'huile
de tournesol

1 pointe de
moutarde

1 c.s. de vinaigre

1 citron

1 c.s. de câpres

Sel

Poivre

Sauce
au crabe

Une mayonnaise au crabe et
aux câpres, relevée et parfumée.

1. Séparez le blanc d'œuf du jaune, mettez
le jaune dans un bol avec la moutarde.

2. Faites une mayonnaise en fouettant
le jaune avec la moutarde et en versant
régulièrement un filet d'huile.

3. Quand vous avez assez de mayonnaise,
ajoutez le vinaigre en fouettant et salez.

4. Montez le blanc en neige ferme
et incorporez la mayonnaise.

5. Égouttez le crabe et ajoutez-le avec
un trait de jus de citron et les câpres.

*Conseil : servez cette sauce avec
des légumes crus et des crevettes cuites
ou simplement avec un bon pain.*

🍳 Notes :

....

....

....

....

Sauce
aux poivrons

Une sauce aux parfums du Sud
particulièrement originale et savoureuse.

20 mn
20 mn
Facile
4 personnes
de 1 à 3 €

Entre
copains

1. Faites cuire les poivrons 20 minutes au four
   ou à l'eau bouillante, puis épluchez-les.

2. Écrasez la chair des poivrons et
   mélangez-la au fromage blanc.

3. Ajoutez la feta écrasée et le thym,
   salez, poivrez et gardez au frais
   1 heure avant de servir.

*Conseil : vous pouvez remplacer la feta
par du fromage de chèvre frais.*

250 g de
fromage blanc

100 g de feta

2 poivrons

1 c.c. de thym

Sel

Poivre

Notes :

....

....

....

....

20 mn
Facile
6 personnes
de 1 à 3 €

Tzatziki

Idéal pour les journées chaudes, le tzatziki vous apportera toute sa fraîcheur.

Entre copains

500 g de fromage blanc

1 concombre

2 gousses d'ail

5 brins de menthe

1. Lavez le concombre et épluchez-le en laissant une bande sur deux.

2. Coupez-le en petits dés ou râpez-le et faites-le dégorger 15 minutes avec du gros sel.

3. Épluchez l'ail, retirez le germe et écrasez-le ; mélangez le fromage blanc avec l'ail et le concombre rincé.

4. Ciselez la menthe et ajoutez-la ; goûtez, assaisonnez, puis mettez 1 heure au frais avant de servir.

 Notes :

....

....

....

....

Aïoli

🖊 *20 mn*
🐑 *Moyen*
✗ *6 personnes*
🛒 *de 1 à 3 €*

Cette mayonnaise à l'ail vous donnera un coup
de fouet et ouvrira l'appétit de vos amis.

> Entre
> copains

1. Épluchez l'ail et retirez les germes

2. Écrasez-le avec le jaune d'œuf dur.

3. Ajoutez le jaune d'œuf cru et mélangez
en versant doucement un filet d'huile.

4. Une fois la mayonnaise prête, salez et
servez.

1 jaune d'œuf

1 œuf dur

3 gousses
d'ail

30 cl d'huile
de tournesol

Sel

*Conseil : l'aïoli peut se déguster avec des légumes
ou des crevettes, mais aussi pendant le repas
avec des viandes ou des poissons.*

👨‍🍳 Notes :

....

....

....

....

✏ *10 mn*
🍳 *Facile*
✗ *6 personnes*
🛒 *de 1 à 3 €*

Vite fait
bien fait

3 gros avocats

1 oignon

1 citron

2 c.c. d'huile
de tournesol

Sel

Guacamole

C'est tout l'esprit de la fête qui se trouve
dans cette préparation mexicaine.

1. Coupez les avocats en deux, dénoyautez-les,
prélevez la chair et écrasez-la.

2. Épluchez l'oignon, coupez-le en petits
morceaux ou passez-le au hachoir
si vous en avez un.

3. Mélangez la purée d'avocat et l'oignon,
pressez le citron, ajoutez le jus, puis salez

*Conseil : servez avec des chips de maïs et
des bâtonnets de poivron ou d'autres légumes.*

🍴 Notes :

....

....

....

....

Les entrées

🖊 *35 mn*
🕐 *25 mn*
🌀 *Facile*
✗ *6 personnes*
🛒 *de 1 à 3 €*

Entre copains

500 g de
pommes de terre

2 oignons rouges

½ bouquet
de ciboulette

3 c.s. de vinaigre
de vin rouge

6 c.s. d'huile
de tournesol

Sel

Poivre

 Notes :

....

....

....

....

Salade de pommes de terre

En y ajoutant quelques œufs durs, cette salade délicieuse fera un excellent repas.

1. Faites cuire les pommes de terre entières dans une grande quantité d'eau salée bouillante, jusqu'à ce que la lame d'un couteau s'y enfonce sans résistance (environ 25 minutes).

2. Laissez-les refroidir, épluchez-les et coupez-les en rondelles, puis mettez-les dans un saladier.

3. Coupez finement les oignons, puis ajoutez-les.

4. Versez le vinaigre, salez et mélangez bien, puis versez l'huile et mélangez à nouveau.

5. Lavez, ciselez et ajoutez la ciboulette, goûtez et ajustez l'assaisonnement.

6. Couvrez et gardez au frais jusqu'au moment de servir.

Conseil : cette salade est meilleure après quelques heures au frais. Il faut goûter et ajouter vinaigre, huile et sel au dernier moment.

Salade de poulet, concombre et pois chiches

🖊 *30 mn*
🕐 *15 mn*
💭 *Facile*
✕ *1 personne*
🛒 *de 3 à 5 €*

Découvrez le parfum envoûtant de l'estragon dans cette salade originale et savoureuse.

Repas en solo

1. Coupez les blancs de poulet en petits dés et faites-les dorer à la poêle dans un peu d'huile.

2. Rincez les pois chiches et égouttez-les ; épluchez le concombre, videz les graines en les raclant avec une petite cuillère et coupez-les en petits morceaux.

3. Versez le vinaigre dans un saladier, ajoutez le sel, lavez et ciselez l'estragon.

4. Mettez le concombre dans le saladier et mélangez avec le vinaigre, puis versez l'huile et mélangez.

5. Ajoutez les pois chiches, le poulet et l'estragon, poivrez, mélangez et réservez au frais jusqu'au moment de servir.

1 blanc de poulet

½ concombre

100 g de pois chiches

3 brins d'estragon

1 c.s. de vinaigre

2 c.s. d'huile de tournesol

Sel

Poivre

Conseil : enrichissez cette salade avec quelques tomates qui lui apporteront une touche colorée.

🍳 Notes :

....

....

....

....

20 mn
Facile
4 personnes
de 1 à 3 €

Entre copains

4 tomates

1 concombre

1 poivron vert

1 oignon rouge

200 g de feta

150 g d'olives
noires aux herbes

Huile d'olive

Sel, poivre

Thym

Salade grecque

Une salade très fraîche qui
nous vient d'un pays chaud.

1. Lavez les légumes, épluchez le concombre
et l'oignon, puis coupez-les en petits
morceaux.

2. Coupez la feta en dés, ajoutez-la
avec les olives et mélangez le tout.

3. Salez, poivrez, saupoudrez de feuilles
de thym et arrosez d'huile d'olive.

Notes :

....

....

....

....

Salade de thon au riz

Classique, cette salade facile et rapide
à préparer plaît à tout le monde.

20 mn
10 mn
Facile
6 personnes
de 1 à 3 €

Entre
copains

1. Faites cuire le riz pendant 10 minutes
   dans de l'eau bouillante salée, égouttez-le,
   puis passez-le sous l'eau froide.

2. Mélangez le vinaigre avec une petite
   cuillère de sel dans un saladier, puis
   versez l'huile en mélangeant.

3. Lavez les tomates, coupez-les en morceaux,
   puis mettez-les dans le saladier.

4. Égouttez et rincez le maïs et les cœurs
   de palmier, coupez ceux-ci en rondelles
   et mélangez tout dans le saladier.

5. Ajoutez les olives, le thon émietté, poivrez
   et saupoudrez de thym, puis mélangez et
   gardez au frais jusqu'au moment de servir.

250 g de thon
au naturel

200 g de riz long

4 tomates

150 g de maïs

250 g de cœurs
de palmier

150 g d'olives
noires aux herbes

2 c.s. de vinaigre
de vin rouge

3 c.s. d'huile
d'olive

1 c.c. de feuilles
de thym

Sel, poivre

*Conseil : Vous pouvez remplacer les cœurs
de palmier par des cœurs d'artichaut
ou par des petites asperges.*

Notes :

....

....

....

....

🖊 10 mn

🕐 10 mn

☁ Facile

✂ 1 personne

🛒 de 3 à 5 €

Repas en solo

150 g de risoni

150 g de tomates cerises

6 filets d'anchois marinés

1 c.s. de câpres

1 gousse d'ail

1 citron

Huile d'olive

Sel

Poivre

Basilic frais

Salade de risoni aux anchois

Les risoni sont des petites pâtes en forme de grain de riz. Elles sont idéales pour les salades ou les potages, et on les trouve en général au rayon des produits exotiques.

1. Faites cuire les risoni dans de l'eau bouillante pendant 10 minutes, égouttez-les et passez-les sous l'eau froide.

2. Lavez les tomates et coupez-les en quatre ; pressez le citron.

3. Mélangez dans un saladier les pâtes froides, les tomates, les câpres, la gousse d'ail écrasée.

4. Salez, poivrez, versez le jus de citron, un filet d'huile d'olive et mélangez.

5. Décorez avec les filets d'anchois et le basilic frais.

Conseil : remplacez les anchois par des sardines selon ce que vous avez dans le placard.

🧑‍🍳 Notes :

....

....

....

....

Salade de pâtes au poulet

Une salade colorée et savoureuse
à déguster entre amis.

30 mn
20 mn
Facile
6 personnes
de 3 à 5 €

Entre
copains

1. Faites cuire et dorer les blancs de poulet
dans une poêle avec un peu d'huile,
puis coupez-les en dés.

2. Faites cuire les pâtes dans de l'eau bouillante
salée selon les indications.

3. Lavez les tomates et le poivron et coupez-les
en morceaux ; épluchez et émincez l'oignon.

4. Dans un saladier, mélangez le poulet
avec les pâtes, les tomates, le poivron,
l'oignon et les olives.

5. Salez, poivrez, arrosez du jus du citron,
d'huile d'olive et ciselez l'estragon sur
la salade.

2 blancs de poulet

300 g de farfalles

250 g de tomates
cerises

1 poivron vert

100 g d'olives
noires

1 oignon rouge

1 citron

Huile d'olive

Sel, poivre

½ bouquet
d'estragon

Notes :

....

....

....

....

📐 *30 mn*
🕐 *30 mn*
💭 *Moyen*
✂ *4 personnes*
🛒 *de 3 à 5 €*

Entre
copains

Salade de pommes de terre et de haricots verts

Cette salade au pesto à la fois
originale et parfumée vous séduira.

300 g de
pommes de terre

300 g de
haricots verts

3 gousses d'ail

50 g de pignons
de pin grillés

40 g de parmesan
râpé

1 bouquet
de basilic

15 cl d'huile
d'olive

1. Faites cuire les pommes de terre
dans de l'eau salée bouillante
pendant 20 à 30 minutes.

2. Lavez et équeutez les haricots, puis faites-les
cuire dans de l'eau salée bouillante pendant
10 minutes.

3. Faites refroidir les légumes, coupez les
haricots en tronçons, épluchez les pommes
de terre et coupez-les en morceaux.

4. Épluchez les gousses d'ail et retirez
le germe ; mettez-les ensuite dans un
mixeur avec les pignons et le parmesan.

5. Mixez grossièrement, puis ajoutez les feuilles
de basilic, mixez à nouveau et ajoutez l'huile
d'olive en mélangeant ; salez légèrement.

6. Assaisonnez les légumes avec le pesto,
ajustez si nécessaire avec du poivre
et du sel.

 Notes :

....

....

....

....

Salade de chèvre chaud

15 mn
5 mn
Facile
2 personnes
de 1 à 3 €

Voici une salade vite préparée et qui rencontre toujours un grand succès.

Dîner à deux

1. Beurrez les tranches de pain, déposez une rondelle de chèvre sur chacune, puis passez-les sous le gril pendant 5 minutes.

2. Lavez la salade, les tomates et disposez sur les assiettes quelques feuilles de batavia et quelques tomates.

3. Mélangez dans un bol le vinaigre et une petite cuillère de sel, poivrez et versez l'huile en mélangeant.

4. Arrosez les assiettes de vinaigrette, déposez les tranches de pain sur les assiettes, émiettez le thym sur le fromage, puis servez.

Conseil : versez aussi un peu de miel sur le fromage si vous aimez les saveurs sucrés salés.

1 bûche de fromage de chèvre

4 tranches de pain de campagne

1 salade batavia

150 g de tomates cerises

1 c.c. de thym

1 c.s. de vinaigre balsamique

2 c.s. d'huile d'olive

Beurre

Sel, poivre

Notes :

....

....

....

....

🖊 20 mn
🕐 5 mn
💭 Moyen
✂ 1 personne
🛒 de 3 à 5 €

Repas
en solo

6 gambas
surgelées

150 g de tomates
cerises

1 gousse d'ail

6 brins
de persil

1 petite salade
iceberg

Vinaigre
balsamique

Huile d'olive

Sel, poivre

Salade
de gambas

De délicieux crustacés et des légumes frais
et croquants sont au programme avec cette
salade riche en goût et en couleurs.

1. Faites revenir les gambas dans un peu
d'huile d'olive pendant 5 minutes à feu
vif et laissez refroidir.

2. Lavez les tomates et coupez-les
en quatre ; coupez la salade
en deux, puis en lanières.

3. Mélangez le vinaigre avec du sel et
du poivre, puis versez de l'huile d'olive
et ajoutez la gousse d'ail écrasée.

4. Lavez et ciselez le persil, mélangez
les tomates, la salade, le persil
et arrosez de vinaigrette.

5. Décortiquez les gambas et disposez-les
sur la salade.

👨‍🍳 Notes :

....

....

....

....

Salade de pâtes au thon et à l'aneth

La fraîcheur de l'aneth apporte un rayon de soleil sur votre table.

20 mn
10 mn
Facile
6 personnes
de 1 à 3 €

Entre copains

1. Faites cuire les pâtes dans de l'eau salée bouillante selon les indications et laissez refroidir.

2. Coupez les cornichons en fines rondelles, émincez l'oignon et émiettez le thon.

3. Lavez et ciselez l'aneth, mélangez le fromage frais et la crème, ajoutez le jus du citron, l'aneth.

4. Goûtez et ajustez l'assaisonnement.

5. Mélangez dans un saladier les pâtes, le thon, l'oignon, les cornichons avec la crème à l'aneth.

6. Gardez au frais jusqu'au moment de servir.

350 g de fusillis

500 g de thon au naturel

1 oignon rouge

300 g de gros cornichons

½ bouquet d'aneth

100 g de fromage frais

10 cl de crème fraîche

½ citron

Sel, poivre

Notes :

✎ *30 mn*
🕐 *30 mn*
💭 *Facile*
✕ *6 personnes*
🛒 *de 1 à 3 €*

Entre copains

1 oignon

1 aubergine

1 courgette

1 poivron rouge

1 bûche de
fromage de chèvre

6 œufs

Sel, poivre

Quelques feuilles
de basilic

Huile d'olive

Œufs cocotte
à la provençale

Des petits ramequins gourmands pleins de
soleil pour retrouver l'ambiance des vacances.

1. Lavez les légumes, coupez l'oignon,
l'aubergine, le poivron en morceaux,
et la courgette en rondelles.

2. Faites dorer les rondelles de courgette
à la poêle avec un peu d'huile d'olive
et réservez.

3. Faites revenir les autres légumes dans
de l'huile d'olive, laissez cuire pendant
15 minutes et préchauffez le four à 180 °C
(th. 6).

4. Dans des ramequins, disposez les rondelles
de courgette sur les parois et répartissez
le reste des légumes.

5. Ajoutez une tranche de fromage sur les
légumes, cassez un œuf sur chaque
ramequin et mettez au four pendant
un peu moins de 10 minutes.

🍴 Notes :

....

....

....

....

Œufs cocotte aux épinards

15 mn

15 mn

Facile

6 personnes

de 1 à 3 €

Entre copains

1. Lavez les épinards, retirez les parties dures des tiges, puis plongez-les 1 minute dans de l'eau bouillante salée.

2. Préchauffez le four à 180 °C (th. 6) et passez les verrines à l'huile d'olive.

3. Répartissez les épinards dans des ramequins, épluchez et écrasez l'ail.

4. Lavez, ciselez le persil, puis mélangez-le avec l'ail à la crème fraîche. Salez et poivrez.

5. Répartissez cette crème sur les épinards, cassez un œuf sur la crème et mettez au four pendant 10 minutes.

Conseil : ajoutez quelques morceaux de fromages différents avec les épinards : chèvre, comté, feta…

300 g d'épinards frais

6 œufs

1 gousse d'ail

2 c.s. de crème fraîche épaisse

6 brins de persil

Sel

Poivre

Notes :

....

....

....

....

✎ *30 mn*
⧗ *12 h*
🕐 *20 mn*
💭 *Moyen*
✗ *2 personnes*
🛒 *de 3 à 5 €*

**Dîner
à deux**

1 poivron vert

1 poivron rouge

1 poivron jaune

1 c.c. de cumin

1 pincée de
piment de
Cayenne

2 tranches de pain
de mie

1 gousse d'ail

15 cl d'huile
d'olive

Sel, poivre

 Notes :

....

....

....

....

Poivrons
confits

Des poivrons colorés, tendres et parfumés
au cumin feront voyager vos sens.

1. Plongez les poivrons dans de l'eau bouillante
pendant environ 20 minutes, laissez-les
refroidir et épluchez-les.

2. Épluchez l'ail, écrasez-le, puis mélangez-le
à l'huile avec le cumin et le piment.

3. Faites mariner les poivrons en lanières
dans l'huile parfumée jusqu'au lendemain.

4. Salez, poivrez et servez avec des tranches
de pain grillées à l'huile d'olive et frottées
à l'ail.

Saumon fumé au concombre

Des verres colorés et frais : idéal pour les brunchs en été.

20 mn
10 mn
Facile
2 personnes
de 3 à 5 €

Dîner
à deux

1. Faites cuire le riz dans de l'eau bouillante salée, laissez-le refroidir, puis répartissez-le dans des verres.

2. Épluchez le concombre, coupez-le en morceaux, puis répartissez-les sur le riz.

3. Mélangez le fromage blanc avec l'ail écrasé, la menthe ciselée ; salez et poivrez.

4. Versez le fromage sur le concombre, puis coupez le saumon en petits morceaux et couvrez-en les verres.

Conseil : remplacez le riz par du blé à cuire, pour changer. Les germes de blé sont très bons pour la santé.

1 petit concombre

2 tranches de saumon fumé

200 g de fromage blanc

1 gousse d'ail

3 brins de menthe

50 g de riz

Sel

Poivre

Notes :

....

....

....

....

🖊 *10 mn*
😊 *Facile*
✖ *6 personnes*
🛒 *de 1 à 3 €*

**Vite fait
bien fait**

600 g de thon
en boîte

150 g de crème
fraîche épaisse

1 citron

½ bouquet
de ciboulette

1 pointe de piment
de Cayenne

Sel

Poivre

 Notes :

....

....

....

....

Mousse
de thon

Fraîche et savoureuse,
cette mousse ravira vos invités.

1. Égouttez le thon et émiettez-le
dans un saladier.

2. Ajoutez la crème, le citron pressé,
le piment, salez et poivrez.

3. Mélangez bien, ciselez la ciboulette
et ajoutez-la.

4. Couvrez de film alimentaire et réservez
au frais pendant 1 heure.

5. Servez avec des tranches de pain
de campagne.

*Conseil : vous pouvez remplacer la crème
par de la ricotta ou un fromage frais salé.*

Chili végétarien

Un chili à base de riz et de haricots rouges à servir dans des verres pour bien apprécier les mélanges de couleurs.

1. Épluchez l'oignon, coupez-le finement et faites-le blondir dans de l'huile.

2. Lavez le poivron, coupez-le en petits dés et, avec les haricots égouttés, ajoutez-le à l'oignon.

3. Plongez les tomates dans de l'eau bouillante pendant 2 minutes, épluchez-les, écrasez-les et ajoutez-les dans la poêle.

4. Salez, poivrez, ajoutez les épices et le concentré de tomates, versez un peu d'eau et laissez cuire pendant 20 minutes.

5. Faites cuire le riz pendant environ 10 minutes dans de l'eau bouillante, égouttez-le et répartissez dans des verres.

6. Couvrez de préparation aux haricots et servez chaud.

🖊 20 mn
🕐 25 mn
💭 Facile
✂ 4 personnes
🛒 de 1 à 3 €

Entre copains

100 g de riz basmati

1 oignon

¼ de poivron rouge

250 g de haricots rouges en boîte

3 tomates

1 c.c. de concentré de tomates

1 c.c. d'épices pour chili ou tex-mex

Sel

Poivre

Notes :

....

....

....

....

🖊 15 mn
☁ Facile
✗ 6 personnes
🛒 de 1 à 3 €

**Vite fait
bien fait**

16 filets d'anchois
marinés

4 gousses
d'ail

250 g de
ricotta

½ bouquet
de ciboulette

Sel

Poivre

Mousse
d'anchois
à l'ail

Découvrez cette mousse
légère et forte à la fois.

1. Égouttez les anchois
et hachez-les finement.

2. Épluchez les gousses d'ail, retirez
le germe et écrasez les gousses.

3. Lavez la ciboulette et ciselez-la.

4. Mettez la ricotta dans un bol, ajoutez
la ciboulette, les anchois et l'ail, poivrez
et salez légèrement.

5. Mélangez bien, goûtez, puis ajustez
l'assaisonnement.

6. Couvrez de film alimentaire et conservez
au frais jusqu'au moment de servir.

🍳 Notes :

....
....
....
....

Aumônières croustillantes aux épinards

Les feuilles de brick croustillantes, ou de pâte filo, sont de précieuses alliées pour préparer les samoussas et les aumônières en un tournemain.

40 mn
20 mn
Moyen
12 pièces
de 3 à 5 €

Dîner à deux

6 feuilles de brick

100 g de beurre fondu

500 g d'épinards frais

100 g de feta

100 g de ricotta

1 œuf

½ bouquet de persil

Huile d'olive

Sel, poivre

1. Lavez, séchez, équeutez et coupez les épinards en lanières.

2. Faites-les cuire dans un peu d'huile d'olive pendant 5 minutes, puis ajoutez la feta et la ricotta en miettes.

3. Mélangez bien, retirez du feu, ajoutez l'œuf, le persil ciselé, salez, poivrez et mélangez.

4. Préchauffez le four à 180 °C (th. 6).

5. Badigeonnez les feuilles de brick avec le beurre fondu et superposez-les deux par deux.

6. Coupez chaque couple de feuilles en quatre et déposez une grosse cuillère d'épinards au centre de chaque partie.

7. Repliez les bords afin de former de petites aumônières, puis attachez-les avec de la ficelle.

8. Enfournez sur du papier sulfurisé pendant une quinzaine de minutes et retirez la ficelle avant de servir.

Notes :
....
....
....
....

🖊 5 mn
⧗ 1 h
🕐 20 mn
😊 Facile
✗ 40 pièces
🛒 de 1 à 3 €

Entre
copains

1 yaourt brassé

1 œuf

120 g de farine

½ sachet
de levure
chimique

Sel

Blinis

Des blinis moelleux et si légers
qu'on ne s'en lasse jamais.

1. Mélangez tous les ingrédients au fouet
dans un saladier.

2. Couvrez avec un torchon et laissez la pâte
reposer au frais pendant 1 heure.

3. Faites chauffer une poêle avec
un peu de beurre et déposez
une grosse cuillère de pâte.

4. Quand le blini fait des bulles, retournez-le
et faites-le dorer sur l'autre face.

5. Continuez jusqu'à épuisement
de la pâte et servez tiède.

*Conseil : servez ces blinis avec une assiette
de charcuteries, des rillettes de thon,
des tranches de jambon ou de saumon...*

 Notes :

....

....

....

....

Soupe épicée aux pois chiches

Une soupe facile à préparer qui nous rappelle des vacances sur les îles grecques…

🖊 10 mn
🕐 30 mn
🍲 Facile
✂ 8 personnes
🛒 de 1 à 3 €

Entre copains

1. Épluchez l'oignon, émincez-le, puis faites-le blondir dans un peu d'huile d'olive.

2. Ajoutez les tomates avec leur jus, le sucre, les piments, le cumin et les pois chiches.

3. Couvrez et faites cuire doucement pendant 30 minutes, puis retirez les piments.

4. Passez rapidement la soupe au mixeur en laissant des morceaux de légumes et servez bien chaud.

Conseil : vous pouvez ajouter des légumes frais (courgettes, aubergines, carottes…) dans cette soupe en les faisant revenir avec l'oignon.

250 g de pois chiches en boîte

800 g de tomates pelées en boîte

1 c.c. de sucre

1 oignon

2 petits piments séchés

1 c.c. de cumin moulu

Huile d'olive

Sel

Poivre

🍳 Notes :

....

....

....

....

🖊 *10 mn*
🕐 *30 mn*
☁ *Facile*
✗ *8 personnes*
🛒 *de 1 à 3 €*

Entre
copains

800 g de tomates
pelées en boîte

1 c.s. de concentré
de tomates

1 c.c. de sucre

1 oignon

1 grosse pomme
de terre

Huile d'olive

Sel

Poivre

Soupe de tomate express

Vous ne trouverez pas plus simple
ni plus rapide pour avoir une
délicieuse soupe faite maison.

1. Épluchez l'oignon, coupez-le en morceaux
et faites-le revenir dans une casserole
avec un peu d'huile d'olive.

2. Épluchez la pomme de terre, coupez-la
en morceaux et ajoutez-la à l'oignon.

3. Versez les tomates pelées avec leur jus, le
concentré et le sucre, mélangez bien, salez,
poivrez, ajoutez 20 centilitres d'eau et
laissez cuire à couvert pendant 30 minutes.

4. Passez la soupe au mixeur
et servez bien chaud.

*Conseil : accompagnez la soupe de lait
ou de crème et de tranches de pain beurré.*

 Notes :

....

....

....

....

Pain grillé aux champignons

C'est une recette simplissime, mais on ne s'en lasse pas.

20 mn
10 mn
Facile
2 personnes
de 3 à 5 €

Dîner
à deux

1. Coupez les pieds de champignons, rincez et émincez les chapeaux.

2. Épluchez les échalotes, émincez-les finement, puis faites-les blondir dans un peu d'huile d'olive.

3. Ajoutez les champignons et faites-les cuire jusqu'à ce que l'eau de cuisson s'évapore.

4. Lavez, ciselez le persil et ajoutez-le ; salez, poivrez et retirez du feu.

5. Faites griller vos tranches de pain, couvrez-les de champignons et servez.

Conseil : vous pouvez faire griller votre pain dans la poêle en réservant les champignons à part.

2 tranches
de pain de mie

500 g de
champignons
de Paris

2 échalotes

Huile d'olive

½ bouquet
de persil

Sel

Poivre

Notes :

....

....

....

....

✎ *15 mn*
🕐 *30 mn*
😊 *Facile*
✗ *6 personnes*
🛒 *de 1 à 3 €*

Entre
copains

1 rouleau
de pâte feuilletée

500 g de tomates
cerises

200 g de feta

10 cl de crème
fraîche

1 œuf

1 c.c. de
feuilles de thym

50 g de
fromage râpé

Sel, poivre

Notes :

....

....

....

....

Tartelettes aux tomates à la feta

1. Préchauffez le four à 180 °C (th. 6).

2. Découpez 6 disques de pâte et déposez-les dans les moules à tartelettes.

3. Lavez les tomates, coupez-les en deux et répartissez-les sur la pâte.

4. Coupez la feta en dés et ajoutez-les aux tomates.

5. Battez l'œuf avec la crème et le thym, salez et poivrez, puis versez sur les tartelettes.

6. Répartissez le fromage râpé et mettez au four pendant 30 minutes environ.

*Conseil : vous pouvez remplacer
la feta par une bûche de fromage de chèvre.*

Tartelettes aux herbes

Des petites tartes vite prêtes pour les repas improvisés, mais gourmands.

15 mn
30 mn
Facile
6 personnes
de 1 à 3 €

Entre copains

1. Préchauffez le four à 180 °C (th. 6).

2. Garnissez les moules à tartelettes de pâte.

3. Lavez le persil et la ciboulette et ciselez-les.

4. Fouettez les œufs avec la crème et le fromage frais, salez et poivrez.

5. Ajoutez les herbes, le fromage râpé et versez sur les tartelettes.

6. Mettez au four pendant 30 minutes environ.

Conseil : si vous avez quelques crudités, servez ces tartelettes avec une bonne salade composée.

1 rouleau de pâte brisée

1 bouquet de persil

1 bouquet de ciboulette

3 œufs

250 g de fromage frais

20 cl de crème fraîche

100 g de fromage râpé

Sel, poivre

Notes :

✎ 30 mn

🕐 30 mn

😊 Facile

✕ 1 personne

🛒 de 3 à 5 €

Repas
en solo

1 poivron rouge

1 courgette

1 aubergine

1 pincée
de piment

2 gousses
d'ail

20 cl d'huile
d'olive

Sel

Poivre

Légumes marinés

*Ces légumes tendres et parfumés
mettront du soleil sur votre table.*

1. Faites cuire le poivron dans de l'eau
   bouillante (ou au four) pendant 20 minutes,
   puis laissez-le refroidir dans un sac plastique
   ou du film alimentaire.

2. Lavez la courgette et l'aubergine, coupez-les
   en tranches et faites-les griller dans une poêle
   avec un peu d'huile d'olive.

3. Épluchez les gousses d'ail et écrasez-les,
   mélangez-les à l'huile et au piment, salez
   et poivrez légèrement.

4. Retirez la peau du poivron et coupez-le
   en lanières.

5. Faites mariner les légumes dans l'huile
   pendant quelques heures au réfrigérateur.

*Conseil : servez simplement les légumes marinés
avec un bon pain afin de bien les apprécier.*

 Notes :

....

....

....

....

Les légumes

✐ *20 mn*
🕐 *10 mn*
😊 *Facile*
✗ *4 personnes*
🛒 *de 1 à 3 €*

Entre
copains

1 kg de pommes
de terre

1 oignon

1 œuf

10 brins de
ciboulette

50 g de farine

Sel, poivre

10 cl d'huile

Galettes de pomme de terre

Ces galettes de pommes de terre, bien grillées, font le bonheur de tous les gourmands.

1. Épluchez les pommes de terre, puis râpez-les ; épluchez et hachez l'oignon.

2. Salez, poivrez, mélangez et ajoutez la farine, puis l'œuf et la ciboulette ciselée.

3. Mélangez bien et faites chauffer l'huile dans une poêle.

4. Déposez des cuillères de préparation dans l'huile et laissez dorer avant de retourner les galettes.

5. Faites-les égoutter sur du papier absorbant et continuez jusqu'à épuisement de la pâte.

👨‍🍳 Notes :

....

....

....

....

Conseil : ajoutez des carottes râpées dans vos galettes pour plus de vitamines et de couleur.

Quiche à la ratatouille

Rien de plus chaleureux à partager entre amis que cette quiche savoureuse et riche.

10 mn
40 mn
Facile
4 personnes
de 3 à 5 €

Entre copains

1. Préchauffez le four à 180 °C (th. 6), beurrez un moule à tarte et déposez-y la pâte.

2. Battez les œufs avec le fromage blanc, salez et poivrez.

3. Ajoutez la ratatouille, mélangez et versez sur la pâte.

4. Parsemez de gruyère et mettez au four pendant 40 minutes.

Conseil : Remplacez le gruyère par du parmesan râpé pour donner un air italien à votre table.

250 g de pâte brisée

500 g de ratatouille

100 g de fromage blanc

2 œufs

50 g de gruyère râpé

Sel

Poivre

Notes :

....

....

....

....

🗡 *10 mn*

🕐 *30 mn*

😋 *Facile*

✗ *4 personnes*

🛒 *de 1 à 3 €*

Entre copains

3 œufs

25 cl de lait

10 cl de crème fraîche

2 c.s. de farine

100 g de gruyère râpé

4 tranches de jambon

Sel

Poivre

Flan au jambon

Un flan riche et délicieux prêt en quelques minutes. Pourquoi hésiter ?

1. Préchauffez le four à 180 °C (th. 6) et beurrez un plat à gratin.

2. Battez les œufs avec la farine, ajoutez le lait et la crème, salez et poivrez.

3. Ajoutez le fromage, mélangez et versez dans le plat.

4. Déposez les tranches de jambon sur la préparation et mettez au four pendant 30 minutes en surveillant.

Conseil : ajoutez une boîte de petits pois égouttés dans le flan pour le compléter.

 Notes :

....

....

....

....

Gaspacho

🔪 *25 mn*
⏳ *2 h*
🍳 *Facile*
✂️ *4 personnes*
🛒 *de 1 à 3 €*

L'idéal pour les journées chaudes : frais et léger, plein de vitamines et désaltérant.

Entre copains

1. Plongez les tomates dans de l'eau bouillante quelques secondes et épluchez-les.

2. Faites de même pour les poivrons.

3. Épépinez les tomates et les poivrons, puis coupez-les en morceaux.

4. Épluchez le concombre et coupez-le en dés.

5. Épluchez l'oignon et l'ail, hachez-les et prélevez le jus du citron.

6. Placez tous les ingrédients dans un saladier, versez un litre d'eau et passez le tout au mixeur.

7. Lavez, ciselez l'estragon et ajoutez-le.

8. Mettez au frais 2 heures avant de servir.

4 tomates

2 poivrons rouges

½ concombre

1 oignon

2 gousses d'ail

2 c.s. de concentré de tomates

1 c.s. de câpres

1 pincée de thym

5 cl de vinaigre balsamique

10 feuilles d'estragon

1 citron

10 cl d'huile d'olive

👨‍🍳 Notes :

....

....

....

....

Conseil : laissez quelques tranches de pain de campagne à la disposition des amateurs de mouillettes.

✎ *12 mn*
🕐 *20 mn*
🍳 *Moyen*
✂ *2 personnes*
🛒 *de 3 à 5 €*

Dîner
à deux

1 oignon

250 g de carottes

2 tomates

200 g de fèves
épluchées

1 pointe de
massala

6 brins de
coriandre

20 cl d'eau

20 cl de crème
fraîche

1 c.c. de sucre

200 g de semoule

Sel, poivre

Notes :

....

....

....

....

Semoule
aux carottes

Un plat léger et parfumé, à déguster
seul ou en accompagnement
de viandes ou poissons.

1. Hachez l'oignon, coupez les tomates
en cubes et les carottes épluchées
en bâtonnets..

2. Faites revenir l'oignon dans une noix
de beurre, puis ajoutez les carottes.

3. Faites caraméliser à feu vif, puis ajoutez
les tomates, le sucre, le massala, la
coriandre ciselée et mélangez bien.

4. Salez, poivrez, versez 20 centilitres d'eau
et la crème, ajoutez les fèves et faites cuire
à couvert pendant 10 minutes.

5. Versez la semoule dans un bol, salez
et versez de l'eau bouillante jusqu'à
couvrir la semoule, puis laissez gonfler
pendant 1 minute.

6. Si la semoule est sèche à certains endroits,
ajoutez encore un peu d'eau, sinon mettez-la
dans une casserole avec une noix de beurre
et faites chauffer en mélangeant
à la fourchette.

7. Servez la semoule et les légumes
chauds à part.

Polenta gratinée

Rien de plus simple à préparer que cette polenta gratinée et moelleuse, qui accompagnera les viandes en sauce.

✏ 10 mn
🕐 30 mn
⧖ 20 mn
Facile
8 personnes
de 1 à 3 €

Entre copains

1. Lavez et ciselez le persil, portez un litre d'eau à ébullition, puis ajoutez-y le persil, le beurre, salez et poivrez.

2. Versez la polenta en pluie et mélangez bien jusqu'à ce qu'elle épaississe et se décolle des parois.

3. Versez la polenta dans un plat à lasagne, étalez-la, puis laissez-la refroidir pendant 30 minutes.

4. Saupoudrez de fromage et passez sous le gril avant de servir.

1 litre d'eau

250 g de polenta

½ bouquet de persil

40 g de beurre

100 g de fromage râpé

Sel

Poivre

Conseil : vous pouvez changer cette recette en remplaçant le gruyère par du parmesan et le persil par de l'origan

Notes :

....

....

....

....

🖊 *10 mn*
🕐 *40 mn*
😊 *Moyen*
✂ *6 personnes*
🛒 *de 1 à 3 €*

Entre copains

1 oignon

800 g de tomates pelées

1 c.c. de sucre

1 pointe de cumin

1 pincée de romarin

1 pincée de thym

150 g de lentilles vertes

150 g de riz basmati

50 g de raisins secs

Ciboulette

👨‍🍳 Notes :

....
....
....
....

Lentilles et riz à la sauce tomate

Un plat riche et chaud pour affronter les journées d'automne.

1. Émincez l'oignon, puis faites-le revenir dans un peu d'huile d'olive.

2. Mixez les tomates pelées avec leur jus ou écrasez-les et ajoutez-les à l'oignon.

3. Ajoutez le sucre, mélangez, versez un verre d'eau, ajoutez le cumin, les herbes, salez et poivrez

4. Mélangez et faites cuire à couvert pendant 20 minutes.

5. Portez une casserole d'eau salée à ébullition et faites-y cuire les lentilles pendant 20 minutes environ.

6. Faites cuire le riz dans une casserole d'eau bouillante salée pendant 10 minutes environ.

7. Mélangez le riz et les lentilles égouttés avec la ciboulette ciselée et servez-les avec la sauce à part.

Conseil : préparez des gambas ou du poulet pour compléter votre repas.

Tarte aux asperges et au jambon

Essayez cette tarte originale
et parfumée et vous l'adopterez.

🖊 20 mn
🕐 50 mn
😊 Facile
✂ 4 personnes
🛒 de 3 à 5 €

Entre copains

1. Préchauffez le four à 180 °C (th. 6), beurrez
le moule à tarte et déposez-y la pâte.

2. Coupez le poivron en petits dés
et le jambon en morceaux.

3. Disposez les asperges, le jambon
et le poivron sur la pâte.

4. Battez les œufs avec le fromage blanc,
salez, poivrez et ajoutez la ciboulette ciselée.

5. Versez cette préparation sur la tarte,
parsemez de fromage et mettez
au four pendant 40 minutes.

*Conseil : une bonne salade verte
accompagne parfaitement cette tarte.*

250 g de pâte brisée

300 g d'asperges en boîte

1 poivron rouge

4 tranches de jambon

20 g de fromage râpé

500 g de fromage blanc

3 œufs

Sel, poivre

Ciboulette

Notes :
....
....
....
....

🖊 25 mn
🕐 15 mn
😊 Facile
✂ 6 personnes
🛒 de 1 à 3 €

Entre copains

6 crêpes au sarrasin

1 chou-fleur

1 oignon

20 cl de crème fraîche épaisse

250 g de bûche de chèvre

Ciboulette

Sel

Poivre

Crêpes au chou-fleur et au chèvre

Voici de bonnes crêpes, à servir
avec une bolée de cidre pour
se réchauffer quand le ciel est gris...

1. Séparez les bouquets de chou-fleur, lavez-
les, puis faites-les cuire dans de l'eau salée
bouillante pendant 10 minutes.

2. Émincez l'oignon, puis faites-le blondir
dans une noix de beurre.

3. Ajoutez le chou-fleur égoutté, puis la crème
fraîche ; salez et poivrez.

4. Répartissez cette préparation sur les crêpes,
déposez quelques rondelles de fromage,
des brins de ciboulette et pliez les crêpes.

5. Réchauffez-les à la poêle ou au four
avant de servir.

*Conseil : du brocoli peut aussi
remplacer le chou-fleur pour changer.*

 Notes :

....

....

....

....

Cake au roquefort et au brocoli

Un mariage savoureux et haut en couleur vous attend avec ce cake gourmand.

15 mn
45 mn
Facile
4 personnes
de 1 à 3 €

Entre copains

1. Préchauffez le four à 180 °C (th. 6) et beurrez un moule à cake.

2. Prélevez les bouquets du brocoli et faites-les cuire dans de l'eau salée bouillante pendant 10 minutes.

3. Fouettez les œufs avec la farine et la levure, puis versez le lait en mélangeant.

4. Ajoutez-y le thym, salez, poivrez, ajoutez le roquefort en morceaux et le brocoli égoutté.

5. Mélangez, versez dans le moule, puis mettez au four pendant 45 minutes environ.

1 brocoli

3 œufs

250 g de farine

1 sachet de levure

20 cl de lait

150 g de roquefort

1 pincée de thym

Notes :
....
....
....
....

✐ *20 mn*
🕐 *45 mn*
🐾 *Facile*
✗ *6 personnes*
🛒 *de 1 à 3 €*

Entre copains

2 oignons

10 cl d'huile
d'olive

1 poivron vert

1 poivron rouge

2 aubergines

2 courgettes

400 g de
tomates pelées

2 gousses d'ail

1 feuille
de laurier

Ratatouille

Une ratatouille express, mais qui n'en est pas moins délicieuse, à prévoir en grande quantité.

1. Hachez l'oignon et faites-le blondir dans une grande casserole avec l'huile d'olive.

2. Lavez, coupez les autres légumes en cubes et ajoutez-les au fur et à mesure dans l'ordre.

3. Versez enfin les tomates pelées et un peu d'eau ; salez et poivrez.

4. Ajoutez le laurier et les gousses d'ail épluchées, coupées en deux et dégermées.

5. Couvrez et laissez cuire pendant 45 minutes au moins en surveillant et en mélangeant régulièrement.

Conseil : servez cette ratatouille avec du riz, de la semoule ou simplement du pain.

🍶 Notes :

....

....

....

....

Clafoutis de tomates cerises

Faciles et rapides à préparer, ces clafoutis feront le bonheur de tous.

15 mn

15 mn

Facile

6 personnes

de 1 à 3 €

Vite fait bien fait

1. Préchauffez le four à 180 °C (th. 6) et beurrez un plat à gratin.

2. Lavez les tomates cerises, et disposez-les dans le plat ; coupez la feta et ajoutez-la aussi.

3. Délayez la maïzena dans le lait, ajoutez la crème, puis battez les œufs et ajoutez-les.

4. Salez, poivrez, ajoutez le thym, mélangez bien et versez sur les tomates.

5. Mettez au four et laissez cuire pendant 30 minutes.

Conseil : ajoutez un peu de fromage de chèvre ou d'emmenthal râpé dans le clafoutis.

350 g de tomates cerises

200 g de feta

1 c.s. de maïzena

25 cl de lait

25 cl de crème liquide

5 œufs

1 c.c. de thym

Sel, poivre

Notes :

✎ *20 mn*
🕐 *10 mn*
😋 *Facile*
✗ *4 personnes*
🛒 *de 3 à 5 €*

**Vite fait
bien fait**

2 pâtes à pizza

1 oignon

2 poivrons

1 c.c. de sucre

2 petites boîtes de
sauce de tomates
fraîches

1 c.c. d'origan

1 bûche de
fromage de chèvre

16 olives noires

50 g de fromage
râpé

Huile d'olive

Sel, poivre

 Notes :

....

....

....

....

Pizza
aux poivrons

Une pizza gourmande et savoureuse,
avec du fromage de chèvre gratiné,
à partager entre amis.

1. Coupez les poivrons en dés.

2. Émincez l'oignon et faites-le revenir dans
une casserole avec un peu d'huile d'olive.

3. Ajoutez les poivrons, faites cuire à feu vif
2 minutes, puis ajoutez le sucre.

4. Versez la sauce tomate, ajoutez un verre
d'eau, l'origan, mélangez et laissez cuire
à couvert pendant 30 minutes.

5. Préchauffez le four à 180 °C (th. 6).

6. Dépliez une pâte à pizza sur une plaque qui
va dans le four en gardant le papier sulfurisé.

7. Si la sauce semble trop liquide, faites-la
cuire quelques minutes sans le couvercle
sur feu moyen.

8. Étalez la moitié de la sauce sur la pizza,
puis répartissez la moitié des olives noires
et du fromage de chèvre en rondelles.

9. Couvrez de fromage râpé et mettez au four
pendant 10 à 15 minutes, puis faites de
même pour l'autre pizza.

Pizza
aux champignons

20 mn
10 mn
Facile
4 personnes
de 3 à 5 €

Vite fait
bien fait

1. Équeutez les champignons, épluchez les chapeaux et émincez-les.

2. Émincez l'oignon et faites-le revenir dans une poêle avec un peu d'huile d'olive.

3. Ajoutez les champignons et faites cuire à feu vif 5 minutes, puis réservez.

4. Préchauffez le four à 180 °C (th. 6).

5. Lavez le persil et ciselez-le, épluchez l'ail, retirez le germe et écrasez les gousses.

6. Dépliez une pâte à pizza sur une plaque qui va dans le four en gardant le papier sulfurisé.

7. Étalez la moitié de la sauce sur la pizza, puis répartissez la moitié des olives noires et des champignons.

8. Répartissez la moitié du persil et de l'ail.

9. Couvrez de fromage râpé et mettez au four pendant 10 à 15 minutes, puis faites de même pour l'autre pizza.

Conseil : pour une pizza plus parfumée, ajoutez quelques anchois ou des morceaux de jambon.

2 pâtes à pizza

1 oignon

500 g de champignons de Paris

1 bouquet de persil

2 gousses d'ail

2 petites boîtes de sauce de tomates fraîches

16 olives noires

50 g de fromage râpé

Huile d'olive

Sel, poivre

Notes :

....

....

....

....

✎ *30 mn*
🕐 *45 mn*
😊 *Facile*
✗ *4 personnes*
🛒 *de 1 à 3 €*

Entre
copains

1 kg de pommes
de terre

50 cl de lait

150 g de
fromage râpé

1 gousse d'ail

Beurre

Sel

Poivre

Gratin
dauphinois

Un plat chaud et nourrissant,
parfait pour une soirée conviviale
quand il fait froid dehors.

1. Préchauffez le four à 210 °C (th. 7)
et frottez un plat à gratin avec la
gousse d'ail coupée en deux.

2. Épluchez les pommes de terre, coupez-les
en rondelles assez fines, puis répartissez-les
dans le plat.

3. Battez le lait avec l'œuf, salez, poivrez
et ajoutez le fromage.

4. Versez la préparation sur les pommes
de terre, parsemez de morceaux de
beurre et mettez au four.

5. Au bout de 15 minutes, baissez la
température à 180 °C (th. 6) et
laissez cuire encore 30 minutes.

*Conseil : vous pouvez parfumer votre gratin en ajoutant
une pointe de noix de muscade moulue dans le lait.*

 Notes :

....

....

....

....

Légumes
poêlés au tofu

Vous trouvez que le tofu est fade ? C'est qu'il faut le préparer avec des ingrédients qui ont du goût ; ainsi vous profiterez de ses bienfaits en savourant un plat délicieux.

20 mn
10 mn
Facile
2 personnes
de 3 à 5 €

Dîner
à deux

1. Coupez l'oignon en petits morceaux, puis faites-le blondir dans une poêle avec un peu d'huile.

2. Coupez les légumes en petits dés, ajoutez-les à l'oignon et laissez cuire pendant 10 minutes à couvert.

3. Découvrez et augmentez le feu, ajoutez l'ail écrasé et le tofu coupé en dés.

4. Salez, poivrez, versez deux traits de sauce de soja, ajoutez le sésame et faites sauter jusqu'à ce que les légumes et le tofu commencent à dorer.

2 poivrons

1 courgette

1 oignon

1 gousse d'ail

200 g de
tofu nature

1 c.s. de graines
de sésame

Sauce de soja

Huile

Sel, poivre

*Conseil : servez ces légumes
avec du riz ou des pâtes chinoises.*

Notes :

....

....

....

....

🖊 *30 mn*
🕐 *45 mn*
😋 *Facile*
✗ *6 personnes*
🛒 *de 1 à 3 €*

Entre
copains

Tourtes aux champignons et aux épinards

Des petits ramequins surprises
qui font plaisir à tous les coups !

1 rouleau de pâte
feuilletée

2 échalotes

500 g de
champignons
de Paris

100 g d'épinards
frais

20 cl de crème
fraîche épaisse

Beurre

Sel

Poivre

1. Préchauffez le four à 180 °C (th. 6)
et préparez 6 ramequins avec 6 disques
de pâte de la même circonférence.

2. Lavez les épinards et coupez-les
en lanières, rincez les champignons
et coupez leurs pieds.

3. Épluchez les échalotes et faites-les blondir
dans un peu de beurre.

4. Coupez les champignons en quatre, ajoutez-
les et laissez évaporer l'eau de cuisson.

5. Salez, poivrez et ajoutez les épinards
puis la crème.

6. Répartissez les légumes dans les ramequins,
déposez un disque de pâte sur chacun
et mettez au four pendant 30 minutes.

Notes :

....

....

....

....

Conseil : ajoutez du blanc
de poulet pour avoir un plat complet.

Champignons à la moutarde

Un accompagnement relevé
pour les viandes et les volailles.

✎ *20 mn*
🕐 *15 mn*
🐑 *Facile*
✗ *1 personne*
🛒 *de 3 à 5 €*

Repas
en solo

1. Rincez les champignons, coupez leurs pieds,
   puis émincez les chapeaux.

2. Lavez le persil, séchez-le et ciselez-le.

3. Émincez les oignons et faites-les blondir dans
   une grande poêle ou une casserole avec un
   peu d'huile.

4. Ajoutez l'ail écrasé et les champignons, puis
   laissez cuire jusqu'à ce que l'eau de cuisson
   s'évapore.

5. Versez la crème, ajoutez la moutarde, salez,
   poivrez, ajoutez le persil et servez.

**250 g de
champignons
de Paris**

2 oignons

1 gousse d'ail

**10 cl de crème
fraîche**

**1 c.s. de moutarde
à l'ancienne**

Huile

Sel

Poivre

6 brins de persil

🍳 Notes :

....

....

....

....

🖊 *20 mn*
🕐 *50 mn*
😋 *Facile*
✗ *1 personne*
🛒 *de 3 à 5 €*

Repas en solo

1 courgette

1 boule de
mozzarella

1 tomate

1 branche
de thym

1 oignon

Huile d'olive

Courgettes farcies
à la mozzarella

Des courgettes savoureuses et gourmandes
pour un repas sain et léger.

1. Préchauffez le four à 180 °C (th. 6) et huilez
un plat à gratin à l'huile d'olive.

2. Lavez la courgette, coupez-la en deux
dans la longueur, puis mettez-la au four
dans le plat pendant 40 minutes.

3. Émincez l'oignon et faites-le blondir dans
une casserole avec un peu d'huile d'olive.

4. Ajoutez le thym, la tomate coupée
en morceaux et laissez réduire
pendant 10 minutes.

5. Sortez la courgette du four, répartissez la
tomate dessus, couvrez de tranches de
mozzarella, arrosez d'un filet d'huile d'olive
et mettez sous le gril pendant 5 minutes.

*Conseil : si vous avez un cuit vapeur,
faites cuire la courgette à la vapeur
pendant 20 minutes, puis garnissez-la et
passez-la sous le gril. Vous gagnerez du temps.*

 Notes :

....

....

....

....

Aubergines et pois chiches sautés à la feta

Un accompagnement parfumé
et délicieusement fondant.

15 mn
20 mn
Facile
2 personnes
de 3 à 5 €

Dîner
à deux

1. Émincez l'oignon et faites-le blondir
dans une poêle avec un peu d'huile.

2. Lavez l'aubergine, coupez-la en petits dés
et ajoutez-la à l'oignon.

3. Laissez cuire une dizaine de minutes, puis
salez, poivrez et ajoutez les pois chiches.

4. Lavez, ciselez l'estragon et ajoutez-le,
puis coupez la feta en dés et ajoutez-les.

5. Faites sauter pendant quelques minutes
et servez.

*Conseil : vous pouvez aussi servir froid,
comme une salade, pour accompagner
des pâtes ou des pommes de terre.*

1 oignon

1 aubergine

200 g de pois
chiches en boîte

150 g de feta

6 brins
d'estragon

Huile d'olive

Sel

Poivre

Notes :

....

....

....

....

🖊 *20 mn*
🕐 *30 mn*
💬 *Facile*
✂ *4 personnes*
🛒 *de 1 à 3 €*

Entre
copains

100 g de
lentilles vertes

100 g de riz

750 ml de bouillon
de légumes

2 oignons

2 tomates

2 brins de menthe

1 citron pressé

Sel, poivre

Huile d'olive

 Notes :

....

....

....

....

Salade chaude de lentilles

1. Versez le bouillon et les lentilles dans
une casserole, portez à ébullition,
puis couvrez et laissez cuire à feu
doux pendant 20 minutes.

2. Ajoutez le riz et le jus du citron, laissez cuire
encore 10 minutes, retirez le couvercle et
laissez évaporer le reste de bouillon, puis
ajoutez la menthe ciselée.

3. Hachez les tomates et émincez
les oignons.

4. Faites caraméliser les oignons
dans un peu d'huile d'olive.

5. Servez les lentilles au riz avec
les tomates et les oignons.

*Conseil : vous pouvez ajouter quelques
morceaux de feta au moment de servir.*

Tarte au brocoli et à la feta

 20 mn

🕐 45 mn

😊 Facile

✗ 4 personnes

🛒 de 3 à 5 €

La douceur du brocoli et le tranchant de la feta donnent tout son caractère à cette tarte estivale.

Entre copains

1. Lavez le brocoli, prélevez les bouquets, puis faites-les cuire dans de l'eau bouillante salée pendant 10 minutes.

2. Préchauffez le four à 180 °C (th. 6) et déposez la pâte avec le papier sulfurisé dans un moule à tarte.

3. Égouttez le brocoli et répartissez-le sur la pâte.

4. Coupez la feta en petits morceaux et répartissez-les aussi.

5. Fouettez les œufs avec la crème, salez, poivrez, ajoutez le thym, puis versez sur la tarte.

6. Parsemez de fromage râpé et mettez au four pendant 45 minutes.

1 rouleau de pâte feuilletée

1 gros brocoli

100 g de feta

1 c.c. de feuilles de thym

100 g de fromage râpé

2 œufs

20 cl de crème fraîche

Sel

Poivre

👨‍🍳 Notes :

....

....

....

....

✐ *20 mn*
🕐 *20 mn*
😊 *Facile*
✗ *6 personnes*
🛒 *de 3 à 5 €*

Entre
copains

1 chou-fleur

250 g de pois
chiches en boîte

20 g de beurre

2 c.s. de chapelure

1 oignon

2 tomates

2 c.s. de pâte
à curry

½ bouquet de
coriandre

Huile d'olive

Sel, poivre

Notes :

....

....

....

....

Chou-fleur sauté aux pois chiches

Un plat riche et très parfumé, idéal pour se requinquer après une dure journée.

1. Émincez l'oignon et faites-le revenir avec un peu d'huile.

2. Ajoutez la pâte de curry, les pois chiches et les tomates coupées en dés.

3. Salez, poivrez, laissez cuire 5 minutes, puis réservez.

4. Faites cuire les bouquets de chou-fleur dans de l'eau salée bouillante pendant 10 minutes.

5. Faites fondre le beurre dans une poêle, ajoutez la chapelure, puis le chou-fleur et faites-le sauter jusqu'à ce qu'il soit doré.

6. Servez le chou-fleur avec la préparation aux pois chiches.

Conseil : ces légumes accompagneront bien un poisson blanc ou une volaille.

Tortilla
aux poireaux

15 mn
30 mn
Facile
4 personnes
de 1 à 3 €

Entre copains

1. Coupez les poireaux en rondelles, après avoir éliminé le vert, puis rincez-les.

2. Émincez les oignons et faites-les revenir dans une poêle avec un peu de beurre.

3. Ajoutez les poireaux, couvrez et laissez cuire pendant 10 minutes.

4. Retirez le couvercle, laissez évaporez l'eau en augmentant un peu le feu.

5. Fouettez les œufs avec le lait et la ciboulette, salez et poivrez.

6. Versez les œufs sur les poireaux, saupoudrez de fromage, couvrez et laissez cuire pendant 20 minutes à feu doux.

Conseil : vous pouvez faire cuire la tortilla au four : 30 minutes à 180 °C (th. 6).

8 œufs

2 oignons

2 poireaux

Sel, poivre

10 cl de lait

6 brins de ciboulette ciselée

50 g de fromage râpé

Beurre

Notes :

....

....

....

....

🖊 *15 mn*

🕐 *40 mn*

😋 *Facile*

✂ *4 personnes*

🛒 *de 3 à 5 €*

Entre copains

1 oignon

1 poivron vert

1 poivron rouge

100 g de haricots verts frais

8 œufs

10 cl de lait

½ bouquet de persil

Huile d'olive

Sel

Poivre

Tortilla aux poivrons et aux haricots

Une tortilla colorée qui donnera un air de fête à votre table et qui ravira les plus gourmands.

1. Émincez l'oignon et faites-le blondir dans un peu d'huile d'olive.

2. Coupez le poivron en petits dés, ajoutez-les, versez un peu d'eau et laissez cuire à couvert pendant 5 minutes.

3. Équeutez les haricots, coupez-les en petits morceaux, ajoutez-les aux poivrons, puis laissez cuire encore 15 minutes.

4. Fouettez les œufs avec le lait, le persil ciselé, puis salez et poivrez.

5. Versez les œufs sur les légumes, couvrez et faites cuire pendant 20 minutes environ.

Conseil : vous pouvez ajouter un peu de feta en dés dans la tortilla.

🗒 Notes :

....

....

....

....

Tomates farcies au tofu

15 mn
35 mn
Facile
4 personnes
de 3 à 5 €

Entre copains

1. Préchauffez le four à 180 °C (th. 6).

2. Coupez le chapeau des tomates et videz-les.

3. Émincez finement les oignons et faites-les blondir dans un peu d'huile.

4. Coupez le tofu en dés, lavez et ciselez le basilic, puis mélangez-les avec les oignons.

5. Salez, poivrez et farcissez les tomates de ce mélange, saupoudrez avec du parmesan râpé et mettez au four dans un plat huilé pendant 20 à 30 minutes.

Conseil : vous pouvez arroser d'un filet de vinaigre balsamique ou de sauce de soja avant de servir.

4 tomates

2 oignons rouges

150 g de tofu nature

2 c.s. de pignons de pin

4 brins de basilic

Huile d'olive

Sel, poivre

Parmesan râpé

Notes :

....

....

....

....

✍ *30 mn*
🕐 *20 mn*
😊 *Facile*
✂ *4 personnes*
🛒 *de 3 à 5 €*

Vite fait
bien fait

2 courgettes

1 aubergine

Huile d'olive

1 crottin de
chavignol

Pour la vinaigrette :

1 gousse d'ail

1 c.s. de vinaigre
de cidre

1 c.c. de miel

3 c.s. d'huile
de tournesol

Sel

📖 Notes :

....

....

....

....

Aubergines et courgettes grillées

Des légumes moelleux à savourer
en toute occasion.

1. Mélangez le vinaigre avec le sel jusqu'à
ce qu'il se dissolve.

2. Ajoutez le miel et l'ail écrasé, mélangez bien,
puis ajoutez l'huile et réservez.

3. Lavez les légumes et coupez-les en tranches
en biais avec une mandoline.

4. Faites chauffer 10 centilitres d'huile d'olive
dans une poêle et faites-y griller les légumes
pendant quelques minutes de chaque côté.

5. Salez, poivrez, répartissez les tranches de
courgette et d'aubergine dans les assiettes,
puis arrosez-les de vinaigrette au miel.

6. Servez avec le crottin de chavignol
émietté sur les légumes.

*Conseil : vous pouvez faire griller les légumes
badigeonnés d'huile au four en les plaçant sous
le gril pendant 5 minutes de chaque côté.*

Carottes à la vichyssoise

✐ *15 mn*
🕐 *30 mn*
😋 *Facile*
✂ *4 personnes*
🛒 *de 1 à 3 €*

Entre
copains

1. Épluchez les carottes et coupez-les
   en rondelles.

2. Faites fondre le beurre dans une grande
   casserole et ajoutez les carottes et le sucre.

3. Faites chauffer en mélangeant,
   puis versez l'eau.

4. Salez, poivrez, couvrez, portez à ébullition,
   puis baissez le feu et faites cuire 30 minutes.

5. Retirez le couvercle, augmentez le feu
   et faites évaporer l'eau en mélangeant
   régulièrement.

6. Lavez, ciselez le persil et servez les carottes
   avec le persil frais haché.

1 kg de carottes

60 g de beurre

1 c.s. de sucre

50 cl d'eau

1 bouquet
de persil

Sel

Poivre

Conseil : vous pouvez ajouter un oignon
émincé finement et revenu dans le beurre.

👨‍🍳 Notes :

....

....

....

....

✐ *20 mn*
🕐 *1 h*
🍳 *Facile*
✂ *4 personnes*
🛒 *de 1 à 3 €*

Entre
copains

200 g de farine

½ sachet de levure

3 œufs

10 cl d'huile

10 cl de lait

2 poireaux

1 oignon

1 bûche de
fromage de chèvre

Huile d'olive

Sel, poivre

🍶 Notes :

....

....

....

....

Cake aux poireaux et au chèvre

Un cake original et qui rencontre toujours un grand succès.

1. Préchauffez le four à 180 °C (th. 6) et huilez un moule à cake.

2. Retirez le vert des poireaux, coupez les blancs en rondelles, puis rincez-les.

3. Émincez l'oignon et faites-le revenir dans un peu d'huile.

4. Ajoutez les poireaux, versez un peu d'eau, couvrez et laissez cuire 10 minutes.

5. Faites évaporer l'eau en augmentant le feu à découvert, salez, poivrez et réservez.

6. Mettez la farine et la levure dans un saladier, incorporez les œufs, ajoutez l'huile et le lait en mélangeant.

7. Salez et versez les poireaux en mélangeant, puis versez la préparation dans le moule et mettez au four pendant 45 minutes.

8. Si la lame d'un couteau plongée dans le cake ressort sans trace de pâte non cuite, le cake est cuit.

Cake au crabe
et à la ciboulette

15 mn
45 mn
Facile
4 personnes
de 1 à 3 €

Entre
copains

1. Préchauffez le four à 180 °C (th. 6)
   et beurrez un moule à cake.

2. Lavez et ciselez la ciboulette, égouttez
   les miettes de crabe.

3. Mettez la farine dans un saladier avec
   la levure, salez et poivrez.

4. Incorporez les œufs, versez l'huile,
   puis le lait en mélangeant.

5. Ajoutez le crabe et la ciboulette,
   mélangez bien, puis versez dans le moule.

6. Faites cuire pendant 45 minutes
   en surveillant.

*Conseil : vous pouvez remplacer
le crabe par du thon en boîte selon
ce que vous avez à votre disposition.*

200 g de farine

3 œufs

½ sachet
de levure

10 cl d'huile

10 cl de lait

400 g de miettes
de crabe en boîte

1 bouquet
de ciboulette

Sel, poivre

Notes :

30 mn

40 mn

Facile

4 personnes

de 1 à 3 €

Entre copains

150 g de farine

75 g de beurre

1 kg de courgettes

250 g de feta

Thym

Sel

Poivre

Huile d'olive

Crumble de courgettes à la feta

Coloré et savoureux, croustillant et moelleux, ce crumble a tout pour plaire !

1. Lavez les courgettes, coupez-les en dés, puis faites-les revenir dans un peu d'huile d'olive.

2. Quand les courgettes deviennent fondantes, coupez le feu, salez, poivrez et ajoutez une cuillère de feuilles de thym.

3. Préchauffez le four à 180 °C (th. 6) et huilez un plat à gratin.

4. Mettez la farine dans un saladier, salez et poivrez.

5. Incorporez le beurre en petits morceaux et en travaillant du bout des doigts afin d'obtenir des miettes.

6. Répartissez les courgettes dans le plat, couvrez de dés de feta, puis de la pâte et mettez au four pendant 30 environ.

 Notes :

....

....

....

....

Crumble d'aubergines et de tomates

🔪 30 mn
🕐 40 mn
😊 Facile
✂ 4 personnes
🛒 de 1 à 3 €

Entre copains

1. Lavez les aubergines, coupez-les en petits dés, puis faites-les cuire pendant 15 minutes avec un peu d'huile.

2. Lavez les tomates, coupez-les en dés, ajoutez-les aux aubergines et laissez cuire 5 minutes.

3. Préchauffez le four à 180 °C (th. 6) et huilez un plat à gratin.

4. Mettez la farine dans un saladier, salez, poivrez et râpez le fromage de chèvre.

5. Incorporez le fromage et le beurre en petits morceaux et en travaillant du bout des doigts afin d'obtenir des miettes.

6. Versez les légumes dans le plat, couvrez-les de pâte, puis mettez au four pendant 30 minutes environ.

150 g de farine

50 g de beurre

1 crottin de chavignol

1 kg d'aubergines

250 g de tomates

Sel, poivre

Huile d'olive

Conseil : vous pouvez remplacer le fromage de chèvre par du parmesan râpé.

Notes :

....

....

....

....

✎ *30 mn*
🕐 *40 mn*
😋 *Facile*
✂ *4 personnes*
🛒 *de 3 à 5 €*

> **Entre copains**

150 g de farine

75 g de beurre

1 kg de champignons de Paris

3 gousses d'ail

2 oignons

1 bouquet de persil

10 cl de crème fraîche

2 c.s. de moutarde à l'ancienne

Sel, poivre

Huile d'olive

👨‍🍳 Notes :

....

....

....

....

Crumble aux champignons

*Un crumble salé classique
et irrésistible.*

1. Coupez les pieds des champignons,
rincez les chapeaux, puis émincez-les.

2. Émincez les oignons et faites-les blondir
dans un peu d'huile d'olive.

3. Ajoutez les champignons, faites cuire jusqu'à
évaporation de l'eau de cuisson.

4. Ciselez le persil, écrasez l'ail, puis ajoutez-les
aux champignons et réservez.

5. Préchauffez le four à 180 °C (th. 6)
et huilez un plat à gratin.

6. Mettez la farine dans un saladier,
salez et poivrez.

7. Incorporez le beurre en petits morceaux
et en travaillant du bout des doigts afin
d'obtenir des miettes.

8. Répartissez les champignons dans le plat,
mélangez la crème et la moutarde, versez
dans le plat, puis couvrez de pâte.

9. Mettez au four pendant environ 30 minutes.

Crumble d'été

🖊 30 mn

🕐 40 mn

😊 Facile

✗ 4 personnes

🛒 de 1 à 3 €

Entre copains

1. Émincez l'oignon et faites-le blondir dans un peu d'huile.

2. Lavez les légumes, coupez-les en dés, puis ajoutez-les à l'oignon en incorporant les tomates en dernier.

3. Faites cuire à couvert pendant 15 minutes, puis augmentez le feu pour faire évaporer une partie de l'eau à découvert.

4. Au bout de 20 minutes, retirez du feu, ajoutez l'ail écrasé, salez et poivrez.

5. Préchauffez le four à 180 °C (th. 6) et huilez un plat à gratin.

6. Mettez la farine dans un saladier, salez et poivrez.

7. Incorporez le beurre en petits morceaux et en travaillant du bout des doigts afin d'obtenir des miettes.

8. Versez les légumes dans le plat, couvrez de miettes de pâte et mettez au four pendant 30 minutes.

150 g de farine

75 g de beurre

2 poivrons rouges

1 aubergine

500 g de tomates

1 oignon

2 gousses d'ail

Sel, poivre

Huile d'olive

Conseil : parfumez votre crumble avec une herbe de votre choix : thym, basilic, estragon…

👨‍🍳 Notes :

....

....

....

....

✎ *20 mn*
🕐 *25 mn*
😊 *Facile*
✗ *6 personnes*
🛒 *de 1 à 3 €*

Entre copains

600 g de champignons de Paris

20 g de farine

60 g de beurre

1 citron

2 jaunes d'œufs

15 cl de crème fraîche

Sel

Poivre

Blanquette de champignons

1. Coupez les pieds des champignons, rincez les chapeaux, puis faites-les revenir dans le beurre pendant 3 minutes.

2. Saupoudrez de farine, mélangez, puis versez un peu d'eau chaude pour délayer ; salez et poivrez.

3. Faites mijoter pendant 20 minutes, mélangez la crème avec les jaunes d'œufs, versez sur les champignons en mélangeant et coupez le feu.

4. Pressez le citron et ajoutez le jus avant de servir.

Conseil : servez ces champignons avec des croûtons à l'ail.

 Notes :

....

....

....

....

Soufflé de choux de Bruxelles

1. Épluchez les pommes de terre, coupez-les en deux et faites-les cuire dans de l'eau salée bouillante pendant 20 minutes. Lavez les choux, retirez les feuilles extérieures et faites-les cuire pendant 15 minutes dans de l'eau salée bouillante.

2. Préchauffez le four à 180 °C (th. 6) et beurrez un moule à soufflé. Écrasez les légumes en purée, ajoutez le beurre et les jaunes d'œufs.

3. Salez, poivrez, montez les blancs en neige, incorporez-les, puis versez dans le moule. Répartissez le fromage sur le soufflé et mettez au four pendant 30 minutes.

- 30 mn
- 30 mn
- Moyen
- 2 personnes
- de 3 à 5 €

Dîner à deux

450 g de choux de Bruxelles

200 g de pommes de terre

60 g de fromage râpé

50 g de beurre

3 œufs

Soufflé de pommes de terre

1. Épluchez les pommes de terre, coupez-les en deux et faites-les cuire dans de l'eau salée bouillante pendant 20 minutes. Préchauffez le four à 180 °C (th. 6) et beurrez un moule à soufflé.

2. Écrasez les pommes de terre avec le beurre, salez, poivrez, puis ajoutez le fromage et laissez refroidir un peu. Montez les blancs en neige ferme, incorporez-les à la purée, versez dans le moule et mettez au four pendant 15 minutes

- 30 mn
- 35 mn
- Moyen
- 2 personnes
- de 1 à 3 €

Dîner à deux

300 g de pommes de terre

100 g de fromage râpé

3 blancs d'œufs

40 g de beurre

Muscade

Sel, poivre

✐ 20 mn
🕐 50 mn
😊 Facile
✗ 4 personnes
🛒 de 1 à 3 €

Entre
copains

1 botte de blettes

40 g de beurre

2 c.s. de farine

½ litre de lait

1 jaune d'œuf

100 g de
fromage râpé

Muscade

Sel

Poivre

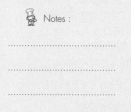 Notes :

....

....

....

....

Gratin
de blettes

1. Lavez les blettes, coupez-les en tronçons,
puis faites-les cuire 20 minutes dans
beaucoup d'eau salée.

2. Dans une casserole, faites fondre le beurre
et ajoutez la farine en remuant jusqu'à
complète absorption.

3. Versez peu à peu le lait en mélangeant
avec un fouet pour éviter les grumeaux.

4. Salez, poivrez, ajoutez un peu de muscade,
puis laissez épaissir à feu doux en remuant
de temps en temps.

5. Ajoutez le jaune d'œuf et les trois quarts
du fromage en remuant.

6. Mélangez les blettes à la béchamel, versez
dans le plat, couvrez du reste de fromage
et mettez 20 minutes au four.

*Conseil : vous pouvez remplacer
les blettes par d'autres légumes à
feuilles vertes : épinards, poireaux...*

Endives gratinées

20 mn
20 mn
Facile
6 personnes
de 1 à 3 €

Entre copains

1. Coupez le pied des endives en creusant un cône et retirez les feuilles extérieures.

2. Faites fondre 20 grammes de beurre dans une casserole, déposez-y les endives, saupoudrez de sucre, ajoutez un verre d'eau, couvrez et laissez cuire pendant 45 minutes, en les retournant 2 ou 3 fois.

3. Faites fondre le reste de beurre, puis jetez-y la farine en mélangeant.

4. Versez le lait progressivement en mélangeant au fouet retirez du feu une fois la sauce épaissie.

5. Salez, poivrez et ajoutez le fromage.

6. Préchauffez le four à 180 °C (th. 6) et huilez un plat à gratin.

7. Déposez les endives dans le plat, couvrez de sauce et passez au four jusqu'à ce que la sauce gratine.

1 kg d'endives

1 c.c. de sucre

60 g de beurre

50 g de farine

1 litre de lait

100 g de fromage râpé

Sel

Poivre

Conseil : enroulez les endives dans des tranches de jambon cuit avant de les napper de sauce.

Notes :

....

....

....

....

🔪 20 mn
🕐 40 mn
😊 Facile
✂ 6 personnes
🛒 de 1 à 3 €

Entre
copains

700 g de chair
de potiron

300 g de
pommes
de terre

2 œufs

50 g de beurre

100 g de
fromage râpé

Gratin
de potiron

Ce plat automnal, jusque dans ses couleurs,
vous réchauffera en un clin d'œil.

1. Coupez le potiron en cubes et faites-le
cuire dans de l'eau salée bouillante
pendant 20 minutes.

2. Épluchez les pommes de terre, coupez-les
en deux et faites-les cuire dans de l'eau salée
bouillante pendant 20 minutes.

3. Préchauffez le four à 180 °C (th. 6)
et beurrez un plat à gratin.

4. Réduisez les légumes en purée, ajoutez-y
le beurre, les œufs entiers, salez, poivrez.

5. Versez la purée dans le plat, couvrez
de fromage et faites gratiner pendant
20 minutes.

📖 Notes :

....

....

....

....

Riz
et pâtes

✎ 30 mn
🕐 45 mn
☁ Moyen
✗ 4 personnes
🛒 de 3 à 5 €

Entre
copains

250 g de riz rond

500 g de
champignons
de Paris

50 cl de crème
fraîche

100 g de
mascarpone

1 oignon

1 gousse d'ail

½ bouquet de
persil

Sel, poivre

150 g de
parmesan râpé

Risotto aux champignons

1. Hachez l'oignon et la gousse d'ail.

2. Faites-les revenir dans une noix de beurre,
puis ajoutez-y les champignons émincés.

3. Au bout de 5 minutes, ajoutez le persil ciselé,
le riz, la crème fraîche, le mascarpone
et un demi-litre d'eau.

4. Salez, poivrez, couvrez et laissez
cuire pendant environ 45 minutes.

5. Servez chaud avec le parmesan
à disposition.

*Conseil : vous pouvez utiliser du bouillon
à la place de l'eau pour un risotto plus parfumé.*

 Notes :

....
....
....
....

Risotto aux lardons

*Un plat complet et parfumé
pour le bonheur de tous.*

20 mn
40 mn
Moyen
4 personnes
de 3 à 5 €

Entre
copains

1. Faites revenir les lardons dans une grande
   casserole sans matière grasse pendant
   quelques secondes.

2. Hachez l'oignon, ajoutez-le, puis faites-le
   blondir avec les lardons.

3. Ajoutez le riz, mélangez 1 minute,
   puis versez le vin blanc en mélangeant.

4. Continuez à mélanger et ajoutez
   le bouillon dès que le vin réduit.

5. Couvrez, laissez cuire en surveillant
   et ajoutez de l'eau si nécessaire.

6. Ajoutez les petits pois au bout de
   20 minutes s'ils sont frais ou surgelés, sinon
   attendez les dernières minutes de cuisson.

7. Salez, poivrez, laissez cuire encore
   15 minutes, puis servez avec
   du parmesan.

250 g de riz rond

250 g de petits
pois

200 de lardons

1 oignon

25 cl de
vin blanc sec

1 litre de bouillon
de volaille

Parmesan

Sel

Poivre

Notes :

....

....

....

....

✎ 30 mn

🕐 30 mn

🐾 Moyen

✗ 4 personnes

🛒 de 1 à 3 €

Entre copains

Huile d'olive

250 g de riz rond

2 oignons

1 gousse d'ail

1 g de safran

1 litre de bouillon de volaille

25 cl de vin blanc sec

Parmesan râpé

Risotto classique

Ce risotto peut accompagner aussi bien des viandes, des volailles que du poisson.

1. Hachez l'ail et les oignons, puis faites-les revenir dans un peu d'huile d'olive.

2. Quand les oignons deviennent transparents, ajoutez le riz et mélangez pendant quelques secondes.

3. Versez le vin, mélangez jusqu'à ce qu'il réduise, puis versez un peu de bouillon en mélangeant.

4. Ajoutez le safran, continuez à verser le bouillon, salez, poivrez, couvrez, puis laissez cuire pendant 20 minutes environ.

5. Le risotto doit être crémeux et servi chaud avec du parmesan.

🍲 Notes :

....

....

....

....

Salade de pâtes au thon

Facile, rapide et délicieuse, cette salade,
que l'on peut déguster tiède ou froide,
a toutes les qualités !

15 mn

15 mn

Facile

4 personnes

de 1 à 3 €

Entre
copains

1. Épluchez l'ail, retirez le germe et écrasez
la gousse ; égouttez le thon et émiettez-le.

2. Lavez la courgette, coupez-la en petits
morceaux, puis faites-la revenir dans de
l'huile d'olive avec l'ail à feu vif pendant
5 minutes.

3. Lavez les tomates cerises et faites cuire
les pâtes al dente.

4. Laissez refroidir les ingrédients, mélangez-les
dans un saladier, salez, poivrez, saupoudrez
de thym, mélangez et arrosez d'huile d'olive.

200 g de pâtes

**200 g de thon
au naturel**

**250 g de tomates
cerises**

1 courgette

1 gousse d'ail

Huile d'olive

**1 c.c. de feuilles
de thym**

Sel, poivre

Notes :

....

....

....

....

🖋 *15 mn*

🕐 *5 mn*

☁ *Facile*

✂ *4 personnes*

🛒 *de 3 à 5 €*

**Vite fait
bien fait**

200 g de pâtes
fraîches

250 g de tomates
cerises

1 poivron rouge

1 concombre Noa

1 oignon nouveau

250 g de feta

Quelques olives
noires

1 c.s. de vinaigre
balsamique

Huile d'olive

Sel, poivre

1 c.c. de feuilles
de thym

👨‍🍳 Notes :

....

....

....

....

Salade de pâtes à la grecque

Les idées les plus rafraîchissantes
viennent souvent des pays les plus chauds,
comme cette recette le montre.

1. Faites cuire les pâtes pendant 5 minutes dans
de l'eau salée bouillante, puis égouttez-les,
passez-les sous l'eau froide et réservez.

2. Lavez les légumes et coupez-les en
morceaux ; coupez la feta en cubes.

3. Faites une vinaigrette avec le vinaigre
et 3 cuillères d'huile d'olive, salez,
poivrez et ajoutez le thym.

4. Mélangez les pâtes et les légumes,
arrosez-les de vinaigrette et réservez
au frais pendant 1 heure.

Salade de pâtes au chèvre et aux poivrons

Les parfums ensoleillés d'ail
et de poivrons font toute
la saveur de ces pâtes.

🖊 *30 mn*
🕐 *55 mn*
💭 *Moyen*
✗ *1 personne*
🛒 *de 3 à 5 €*

Repas en solo

1. Faites cuire le poivron à la vapeur, dans de l'eau bouillante ou au four pendant environ 30 minutes, laissez-le refroidir et épluchez-le.

2. Faites cuire les pâtes al dente, épluchez et écrasez l'ail, coupez le poivron en lanières.

3. Lavez et ciselez le basilic, mettez-le dans un bol avec de l'huile d'olive à volonté, l'ail et le thym.

4. Mettez les pâtes dans un saladier, ajoutez le poivron, le fromage émietté et versez l'huile aux herbes.

5. Mélangez, puis parsemez de pignons de pin grillés à sec pendant 3 minutes, servez avec du vinaigre balsamique.

200 g de pâtes

100 g de fromage de chèvre frais

1 poivron rouge

1 gousse d'ail

20 g de pignons

6 brins de basilic

1 c.c. de feuilles de thym

Huile d'olive

Vinaigre balsamique

Sel, poivre

👨‍🍳 Notes :

....

....

....

....

✎ 30 mn
🕐 1 h
😊 Facile
✗ 4 personnes
🛒 de 5 à 7 €

Entre
copains

400 g de pâtes

1 aile de raie

4 c.s. de câpres

250 g de tomates
cerises

½ bouquet
de basilic

1 gousse d'ail

Huile d'olive

Sel, poivre

Pâtes à la raie
et aux câpres

1. Mettez les tomates dans un plat, arrosez-les
d'huile d'olive et faites-les cuire au four
à 150 °C (th. 5) pendant 1 heure.

2. Faites cuire les pâtes al dente et réservez.

3. Faites cuire la raie à la vapeur pendant
20 minutes, puis prélevez la chair.

4. Mélangez la chair de poisson avec les
pâtes, ajoutez le basilic ciselé, les câpres,
l'ail écrasé, arrosez d'huile d'olive, salez
et poivrez.

5. Ajoutez les tomates cuites et servez
bien chaud.

*Conseil : le colin ou un autre poisson
blanc peut remplacer la raie.*

📖 Notes :

....

....

....

....

Gnocchis au poulet et aux champignons

✎ 15 mn
🕐 30 mn
😊 Facile
✗ 2 personnes
🛒 de 3 à 5 €

Un plat riche et savoureux, très facile à préparer et dont tout le monde raffole.

Dîner
à deux

1. Épluchez l'échalote, émincez-la et faites-la blondir dans une noix de beurre.

2. Ajoutez le vin et le poulet coupé en morceaux.

3. Laissez cuire pendant 20 minutes ; ajoutez de l'eau si nécessaire.

4. Lavez et ciselez le persil, ajoutez-le, puis salez et poivrez.

5. Faites cuire les gnocchis dans de l'eau bouillante salée jusqu'à ce qu'ils remontent à la surface.

6. Faites-les sauter avec le poulet pendant 1 minute, puis servez avec la crème.

1 blanc de poulet

250 g de gnocchis

1 échalote

5 cl de vin blanc

20 cl de crème fraîche

½ bouquet de persil plat

Sel

Poivre

👨‍🍳 Notes :

....

....

....

....

✎ *10 mn*
🕐 *30 mn*
🐱 *Facile*
✗ *4 personnes*
🛒 *de 1 à 3 €*

Entre
copains

500 g de
spaghettis

300 g de
bœuf haché

2 oignons

2 gousses d'ail

1 c.s. de feuilles
de thym

500 g de tomates
pelées

1 petite boîte
de concentré
de tomates

1 c.c. de sucre

Huile d'olive

Sel, poivre

Notes :

....

....

....

....

Spaghettis
à la bolognaise

1. Hachez les oignons, puis faites-les revenir
dans une casserole avec de l'huile d'olive.

2. Ajoutez la viande hachée et remuez pour
qu'elle ne s'agglomère pas.

3. Quand la viande a commencé à cuire,
ajoutez les tomates pelées, le concentré de
tomates, le thym et le sucre.

4. Épluchez l'ail, retirez les germes et mettez
les demi-gousses dans la sauce.

5. Salez, poivrez et laissez cuire à couvert
pendant 30 minutes.

6. Faites cuire les pâtes al dente et servez-les
avec la sauce.

*Conseil : on peut ajouter des légumes
dans la sauce : petits pois, carottes,
pois chiches…*

Tagliatelles à la carbonara

🔪 10 mn
🕐 20 mn
👨‍🍳 Facile
🍴 6 personnes
🛒 de 1 à 3 €

Tout le monde craque pour les pâtes à la carbonara. Succès garanti !

Entre copains

1. Faites cuire les pâtes al dente dans une casserole d'eau salée bouillante.

2. Faites dorer les lardons dans un poêle sans matière grasse et réservez.

3. Battez les jaunes d'œufs avec la crème fraîche, salez et poivrez.

4. Mélangez les pâtes et les lardons, versez la crème en mélangeant et remettez 1 minute sur le feu.

5. Servez les pâtes avec du parmesan à volonté.

Conseil : on trouve aussi souvent une version sans lardons : remplacez-les alors par des allumettes de saumon.

500 g de tagliatelles

250 g de lardons

40 cl de crème fraîche

2 jaunes d'œufs

Parmesan

Sel

Poivre

👨‍🍳 Notes :

....

....

....

....

🖋 *15 mn*
🕐 *10 mn*
💭 *Facile*
✕ *1 personne*
🛒 *de 1 à 3 €*

Repas
en solo

½ brocoli

150 g de pâtes

1 gousse d'ail

6 brins de persil

15 g de beurre

Parmesan

Sel

Poivre

Pâtes au brocoli et à l'ail

Coloré et parfumé, voici un plat idéal en toute occasion, et très facile à faire.

1. Séparez les bouquets de brocoli, rincez-les et faites-les cuire à la vapeur pendant 20 minutes.

2. Lavez, ciselez le persil et ajoutez-le.

3. Faites fondre le beurre dans une poêle, ajoutez l'ail écrasé, puis le brocoli et faites-le revenir quelques minutes.

4. Salez, poivrez et gardez au chaud.

5. Faites cuire les pâtes al dente et servez-les avec le brocoli et du parmesan

 Notes :

....

....

....

....

Gratin de pâtes au chou-fleur

Redécouvrez le plaisir de déguster du chou-fleur grâce à ce gratin gourmand.

20 mn
40 mn
Facile
6 personnes
de 1 à 3 €

Entre
copains

1. Préchauffez le four à 210 °C (th. 7) et huilez un plat à gratin.

2. Faites fondre le beurre dans une casserole, puis jetez la farine en fouettant.

3. Versez progressivement le lait en fouettant jusqu'à ce que la sauce épaississe, salez et poivrez.

4. Faites cuire les pâtes al dente et égouttez-les, séparez les bouquets du chou-fleur et faites-les cuire 20 minutes à la vapeur.

5. Écrasez la gousse d'ail, faites-la revenir dans une noix de beurre, puis ajoutez la chapelure et le chou-fleur.

6. Mélangez les pâtes avec la sauce béchamel, versez dans le plat, puis couvrez avec le chou-fleur.

7. Saupoudrez de parmesan et passez sous le gril pendant 10 minutes.

600 g de pâtes

1 chou-fleur

1 gousse d'ail

25 g de beurre

50 cl de lait

2 c.s. de farine

50 g de parmesan râpé

Huile d'olive

2 c.s. de chapelure

Sel

Poivre

Notes :
....
....
....
....

15 mn
5 mn
Moyen
6 personnes
de 3 à 5 €

Entre copains

500 g de bœuf haché

500 g de tomates pelées

1 c.s. de concentré de tomates

1 c.c. de sucre

2 oignons

1 gousse d'ail

1 feuille de laurier

1 litre de lait

50 g de beurre

4 c.s. de farine

400 g de lasagnes

100 g de fromage râpé

Huile d'olive

Sel, poivre

 Notes :

....

....

....

....

Lasagnes

1. Préchauffez le four à 210 °C (th. 7) et huilez un plat à lasagnes.

2. Faites fondre le beurre dans une casserole, puis jetez la farine en fouettant.

3. Versez progressivement le lait en fouettant jusqu'à ce que la sauce épaississe, puis salez et poivrez.

4. Épluchez les oignons, coupez-les en petits morceaux, puis faites-les revenir dans de l'huile d'olive.

5. Ajoutez la viande en remuant pour qu'elle ne s'agglomère pas, ajoutez les tomates, le concentré, le sucre et mélangez.

6. Salez, poivrez, ajoutez un verre d'eau, le laurier, l'ail épluché et coupé en deux et laissez cuire pendant 10 minutes à couvert.

7. Disposez des plaques de lasagnes dans le plat, couvrez de viande, puis de sauce béchamel et recommencez.

8. Finissez par des pâtes couvertes de béchamel, répartissez le fromage et mettez au four pendant 45 minutes.

Lasagnes aux légumes

45 mn
2 h
Facile
6 personnes
de 3 à 5 €

Entre copains

1. Coupez les oignons en morceaux et faites-les blondir dans un peu d'huile d'olive.

2. Lavez les légumes, coupez-les en petits morceaux, puis ajoutez-les au fur et à mesure : poivrons, courgettes et aubergines.

3. Ajoutez les tomates et leur jus, un verre d'eau, le laurier, salez, poivrez, épluchez les gousses d'ail et ajoutez-les

4. Couvrez et laissez cuire pendant 45 minutes.

5. Préchauffez le four à 180 °C et huilez un plat à lasagnes.

6. Disposez une couche de plaques de lasagnes dans le plat, puis couvrez-les de légumes et d'une couche de béchamel.

7. Recommencez 2 ou 3 fois, terminez par une couche de pâtes couvertes de béchamel.

8. Répartissez des tranches de mozzarella et mettez au four pendant 1 heure environ.

Conseil : versez aussi l'eau des légumes pour la cuisson des pâtes.

2 aubergines

2 courgettes

1 poivron rouge

1 poivron vert

3 gousses d'ail

1 feuille de laurier

500 g de tomates pelées en boîte

2 oignons

1 litre de sauce béchamel

1 boule de mozzarella

400 g de lasagnes

Huile d'olive

Sel, poivre

Notes :

....

....

....

....

🖊 *20 mn*
🕐 *25 mn*
🐑 *Facile*
✕ *4 personnes*
🛒 *de 1 à 3 €*

Entre
copains

500 g de
tagliatelles

2 oignons

3 gousses d'ail

2 c.s. de câpres

600 g de tomates
pelées en boîte

1 bocal d'olives
noires

1 piment rouge

Huile d'olive

Sel, poivre

 Notes :

....

....

....

....

Pâtes à la sauce pimentée

1. Émincez les oignons et écrasez
les gousses d'ail.

2. Faites-les revenir dans un peu d'huile d'olive,
ajoutez les tomates avec leur jus et portez à
ébullition.

3. Lavez et hachez le piment, les câpres et les
olives, ajoutez-les, puis faites cuire à couvert
et à feu doux pendant 10 minutes.

4. Faites cuire les tagliatelles al dente selon les
indications sur le paquet et servez-les bien
chaudes avec la sauce.

*Conseil : laissez une bouteille de tabasco
à la disposition de vos convives pour que chacun
puisse assaisonner selon son goût.*

Gnocchis Aurora

Un plat délicieusement ensoleillé et gourmand.

🖊 30 mn
🕐 20 mn
😋 Facile
✂ 4 personnes
🛒 de 1 à 3 €

Vite fait
bien fait

1. Plongez les gnocchis dans de l'eau bouillante et égouttez-les quand ils remontent à la surface.

2. Coupez le jambon en petits morceaux, mélangez-les à la sauce tomate, puis ajoutez la crème.

3. Préchauffez le four à 180 °C (th. 6) et beurrez un plat à gratin.

4. Ajoutez les gnocchis à la sauce et versez dans le plat.

5. Recouvrez de fromage et mettez au four 20 minutes.

Conseil : ce plat italien est bien entendu à gratiner avec du parmesan pour ceux qui aiment.

400 g de gnocchis

20 cl de coulis de tomates

20 cl de crème fraîche

4 tranches de jambon

100 g de fromage râpé

Sel

Poivre

👨‍🍳 Notes :

....

....

....

....

✎ 10 mn

🕐 20 mn

💭 Facile

✂ 4 personnes

🛒 de 1 à 3 €

Vite fait
bien fait

400 g de
gnocchis

150 g de
gorgonzola

20 cl de crème
fraîche

50 g de
fromage râpé

Sel

Poivre

Gnocchis au gorgonzola

Un gratin classique et indémodable,
grâce au gorgonzola.

1. Plongez les gnocchis dans de
l'eau bouillante et égouttez-les
quand ils remontent à la surface.

2. Préchauffez le four à 180 °C (th. 6)
et beurrez un plat à gratin.

3. Faites chauffez la crème, retirez du feu,
ajoutez le gorgonzola et mélangez.

4. Ajoutez les gnocchis, versez dans le plat,
recouvrez de fromage et mettez au four
20 minutes.

*Conseil : pour une sauce plus onctueuse,
remplacez la crème par
200 grammes de mascarpone.*

Notes :

....

....

....

....

Pâtes au pesto

Classique et toujours très apprécié,
le pesto est indissociable des pâtes.

30 mn
10 mn
Facile
4 personnes
de 1 à 3 €

Entre
copains

1. Lavez le basilic, séchez-le, mettez les feuilles
dans un bol, puis ajoutez l'ail écrasé.

2. Écrasez le tout à l'aide d'un mortier, ajoutez
les pignons de pin et continuez, puis ajoutez
le parmesan et continuer en versant de
l'huile d'olive.

3. Salez, poivrez, mélangez bien,
puis réservez au frais.

4. Faites cuire les pâtes al dente
et servez-les avec le pesto.

*Conseil : s'il vous reste du pesto, vous
pouvez le conserver quelques jours
dans un bocal hermétiquement fermé.*

500 g de pâtes

2 gousses d'ail

1 bouquet
de basilic

50 g de pignons
de pin

100 g de
parmesan râpé

15 cl d'huile
d'olive

Sel, poivre

Notes :

....

....

....

....

15 mn
🕐 10 mn
😊 Facile
✂ 1 personne
🛒 de 3 à 5 €

Repas
en solo

200 g de pâtes

8 filets d'anchois
à l'huile

150 g de
tomates cerises

100 g
de roquette

100 g de
mozzarella

Huile d'olive

Sel, poivre

Pâtes aux anchois
et à la roquette

*Un plat frais et savoureux,
délicieux par une journée d'été.*

1. Lavez les tomates et coupez-les en deux,
lavez la roquette et ciselez-la grossièrement.

2. Faites cuire les pâtes al dente, mettez-les
dans un plat, arrosez-les d'huile d'olive,
salez et poivrez.

3. Ajoutez les anchois coupés en morceaux,
les tomates, la roquette et la mozzarella
en morceaux.

4. Mélangez bien et servez.

*Conseil : remplacez la mozzarella
par de la feta pour varier.*

🐷 Notes :

....

....

....

....

Pâtes aux poivrons marinés et aux épinards

Des poivrons marinés fondants
et des pignons croquants : un régal.

30 mn
15 mn
Moyen
2 personnes
de 3 à 5 €

Dîner
à deux

1. Faites cuire les poivrons pendant
   30 minutes dans de l'eau bouillante,
   au four ou à la vapeur.

2. Laissez-les refroidir, épluchez-les,
   puis coupez-les en lanières.

3. Écrasez l'ail, mélangez-le aux poivrons,
   arrosez d'huile d'olive, puis laissez mariner
   pendant 1 heure.

4. Faites cuire les pâtes al dente, faites griller
   les pignons à sec, puis lavez et séchez les
   feuilles d'épinards.

5. Mélangez les pâtes, les poivrons,
   les pignons et les pousses d'épinards,
   puis salez et poivrez avant de servir.

300 g de pâtes

2 poivrons rouges

100 g de pousses
d'épinards

50 g de pignons
de pin

1 gousse d'ail

Huile d'olive

Sel

Poivre

*Conseil : vous pouvez remplacer les feuilles
d'épinards par des pousses de roquette.*

Notes :

....

....

....

....

🖊 *20 mn*
🕐 *15 mn*
😋 *Facile*
✗ *4 personnes*
🛒 *de 3 à 5 €*

Entre copains

200 g de riz

400 g de tofu nature

4 c.s. de sauce de soja

2 oignons

2 poivrons verts

1 c.s. de graines de sésame

1 piment vert

Sel

Poivre

Riz sauté au tofu

Des graines de sésame et tofu pour nourrir le cerveau, du riz et des légumes pour le bon fonctionnement du corps : tout un programme !

1. Faites cuire le riz pendant environ 10 minutes dans de l'eau salée bouillante.

2. Émincez les oignons, puis faites-les revenir dans un peu d'huile.

3. Coupez le piment et les poivrons en petits morceaux, puis ajoutez-les aux oignons et faites sauter à feu vif pendant 5 minutes.

4. Coupez le tofu en dés et ajoutez-le avec la sauce de soja et les graines de sésame.

5. Mélangez bien, salez et poivrez légèrement, puis ajoutez le riz et servez.

 Notes :

....

....

....

....

Tortilla au riz et pommes de terre

20 mn
50 mn
Facile
4 personnes
de 1 à 3 €

Entre
copains

1. Épluchez les pommes de terre, coupez-les en cubes, puis faites-les sauter à la poêle dans un peu d'huile.

2. Émincez l'oignon, ajoutez-le aux pommes de terre et faites cuire pendant 20 minutes à couvert.

3. Faites cuire le riz dans de l'eau salée bouillante, lavez et ciselez la coriandre.

4. Salez et poivrez les pommes de terre, saupoudrez-les de curry, faites-les sauter quelques minutes à feu vif, vérifiez la cuisson, puis ajoutez le riz et mélangez.

5. Battez les œufs avec le lait et la coriandre, salez et poivrez, puis versez dans la poêle.

6. Couvrez et laissez cuire pendant 15 minutes environ, puis servez.

300 g de pommes de terre

100 g de riz

8 œufs

10 cl de lait

1 oignon

1 bouquet de coriandre

1 c.s. de curry

Sel

Poivre

Conseil : du persil ou de la ciboulette peuvent remplacer la coriandre.

Notes :

....

....

....

....

15 mn
 25 mn
 Facile
 4 personnes
de 1 à 3 €

Entre
copains

200 g de riz

2 aubergines

2 tomates

1 bouquet
d'estragon

2 gousses d'ail

Huile d'olive

Sel

Poivre

Riz aux aubergines
fondantes

Personne ne peut résister
à ces aubergines tendres et parfumées.

1. Lavez les aubergines, coupez-les en cubes,
puis faites-les sauter dans un peu d'huile
d'olive.

2. Coupez les tomates en petits morceaux,
ajoutez-les avec l'ail écrasé et l'estragon
ciselé.

3. Couvrez et laissez cuire pendant
10 minutes en mélangeant régulièrement.

4. Salez, poivrez, mélangez et laissez encore
cuire à couvert jusqu'à ce que les aubergines
soient bien fondantes.

5. Faites cuire le riz dans de l'eau salée
bouillante pendant 10 minutes environ.

6. Servez le riz avec les aubergines
bien chaudes.

*Conseil : ajoutez quelques dés de poulet,
dorés à la poêle pour parfaire ce plat.*

Notes :

....

....

....

....

Pâtes
au basilic frais

🖊 *10 mn*
🕐 *10 mn*
😊 *Facile*
✗ *2 personnes*
🛒 *de 1 à 3 €*

Dîner
à deux

1. Faites cuire les pâtes al dente selon
les indications du paquet.

2. Coupez les tomates en petits morceaux,
puis mettez-les dans un saladier.

3. Ajoutez les gousses d'ail écrasées,
le basilic ciselé, salez, poivrez et
arrosez d'un filet d'huile d'olive.

4. Ajoutez les pâtes, mélangez bien
et servez.

Conseil : ajoutez une boule de mozzarella
en morceaux pour compléter ce plat.

300 g de pâtes

4 tomates

2 gousses d'ail

1 bouquet
de basilic

Huile d'olive

Sel

Poivre

👨‍🍳 Notes :

....

....

....

....

✎ 20 mn
🕐 10 mn
😋 Facile
✗ 6 personnes
🛒 de 1 à 3 €

Entre
copains

400 g de riz

300 g de lentilles
en boîte

3 tomates

1 oignon rouge

1 bouquet
de persil

250 g de feta

2 c.s. de vinaigre
de vin

4 c.s. d'huile

Sel, poivre

Salade chaude de riz aux lentilles

Facile et rapide à préparer, cette salade tombe à pic pour un repas improvisé.

1. Faites cuire le riz dans de l'eau salée bouillante pendant 10 minutes environ.

2. Pendant ce temps, coupez les tomates en petits morceaux.

3. Coupez l'oignon en petits morceaux, puis lavez et ciselez le persil.

4. Faites une vinaigrette en dissolvant une petite cuillère de sel dans le vinaigre, puis versez l'huile en mélangeant.

5. Ajoutez les tomates, l'oignon, le persil, la feta en dés, les lentilles égouttées et mélangez.

6. Une fois le riz cuit, égouttez-le et ajoutez-le chaud dans la salade ; mélangez et servez aussitôt.

👨‍🍳 Notes :

....

....

....

....

Pâtes à la moutarde et aux champignons

Gourmand et relevé, ce plat de pâtes rencontre toujours un grand succès.

15 mn
15 mn
Facile
1 personne
de 3 à 5 €

Repas en solo

1. Émincez l'oignon, puis faites-le blondir dans une casserole avec une noix de beurre.

2. Brossez les champignons ou épluchez-les et émincez-les, puis ajoutez-les à l'oignon.

3. Une fois que les champignons sont cuits, ajoutez le persil ciselé, la crème fraîche et la moutarde.

4. Salez, poivrez et allongez la sauce avec du lait si désiré.

5. Faites cuire les pâtes al dente et servez-les avec la sauce.

150 g de pâtes

250 g de champignons de Paris

6 brins de persil

1 oignon

15 cl de crème fraîche

1 c.s. de moutarde à l'ancienne

Sel, poivre

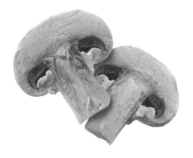

Notes :

....

....

....

....

✏ *30 mn*
🕐 *1 h*
🗨 *Facile*
✂ *6 personnes*
🛒 *de 3 à 5 €*

Entre copains

150 g de macaronis

150 g de haricots blancs

150 g de haricots rouges

150 g de haricots verts

4 tomates

1 courgette

1 carotte

2 pommes de terre

2 oignons

2 gousses d'ail

10 cl d'huile d'olive

½ bouquet de basilic

Sel, poivre

📛 Notes :

....

....

....

....

Minestrone

1. La veille, faites tremper les haricots rouges et les haricots blancs dans de l'eau tiède.

2. Équeutez les haricots verts, épluchez tous les légumes, ébouillantez les tomates pour pouvoir les éplucher.

3. Coupez les légumes en petits dés et en bâtonnets, mettez les oignons, les tomates et la courgette dans une casserole.

4. Ajoutez l'huile d'olive et faites revenir 5 minutes ; salez et poivrez.

5. Versez 3 litres d'eau, puis ajoutez les légumes sauf les haricots verts et les pommes de terre.

6. Portez à ébullition, puis laissez cuire pendant 1 heure.

7. Ajoutez les macaronis, les haricots verts et les pommes de terre 15 minutes avant la fin de cuisson.

8. Lavez et ciselez le basilic, puis ajoutez-le 5 minutes avant de servir.

Conseil : servez le minestrone avec des copeaux de parmesan.

Pâtes aux anchois et aux aubergines

15 mn
35 mn
Facile
2 personnes
de 3 à 5 €

Dîner
à deux

1. Hachez l'oignon et faites-le revenir dans un peu d'huile.

2. Lavez l'aubergine, le piment, coupez-les en petits morceaux, puis ajoutez-les à l'oignon.

3. Ajoutez encore l'ail écrasé, le basilic ciselé, puis les tomates et laissez cuire pendant 30 minutes.

4. Ajoutez les anchois, salez et poivrez.

5. Faites cuire les pâtes al dente et servez-les avec la sauce.

Conseil : remplacez les anchois par des sardines à l'huile pour changer.

200 g de pâtes

125 g d'anchois marinés

1 aubergine

250 g de tomates pelées

1 piment

1 oignon

2 gousses d'ail

6 brins de basilic

Huile d'olive

Sel, poivre

Notes :

....
....
....
....

✐ *10 mn*
🕐 *5 mn*
😊 *Facile*
✕ *2 personnes*
🛒 *de 1 à 3 €*

**Vite fait
bien fait**

300 g de gnocchis

20 cl de crème
fraîche épaisse

50 g de
mozzarella

50 g de
parmesan

50 g de comté

3 brins de
ciboulette

Sel

Poivre

Gnocchis à la crème fromagère

1. Plongez les gnocchis dans une casserole d'eau salée bouillante jusqu'à ce qu'ils remontent à la surface.

2. Faites-les dorer à la poêle dans une noix de beurre.

3. Faites chauffer la crème avec les fromages jusqu'à ce qu'ils fondent, salez et poivrez.

4. Servez les gnocchis nappés de cette sauce et parsemez de ciboulette ciselée.

Conseil : vous pouvez passer les gnocchis à la crème sous le gril pour faire gratiner le fromage.

 Notes :

....

....

....

....

Pâtes aux légumes et aux lardons

Un plat très complet qui plaira à tous.

🖊 30 mn
🕐 30 mn
😊 Facile
✂ 4 personnes
🛒 de 3 à 5 €

Entre copains

1. Faites cuire les pâtes al dente et réservez.

2. Faites dorer les lardons, puis réservez-les.

3. Coupez l'aubergine en tranches et faites-les griller dans de l'huile d'olive.

4. Coupez le poivron en morceaux et faites-le revenir dans de l'huile d'olive pendant quelques minutes avec l'ail écrasé.

5. Ajoutez les pâtes, les lardons et l'aubergine, laissez chauffer pendant quelques minutes.

6. Hachez grossièrement les câpres et les olives et servez les pâtes aux légumes avec les olives et câpres hachées.

300 g de pâtes

1 aubergine

1 poivron rouge

100 g de lardons

100 g d'olives noires dénoyautées

1 c.s. de câpres

1 gousse d'ail

Huile d'olive

Sel, poivre

🍴 Notes :

....
....
....
....

✐ 20 mn
🕐 20 mn
🐑 Facile
✗ 4 personnes
🛒 de 1 à 3 €

Entre
copains

4 tranches de
saumon fumé

250 g de
coquillettes

50 g de farine

50 g de beurre

1 l de lait

Sel, poivre

100 g de
fromage râpé

Pâtes au saumon fumé

1. Faites cuire les pâtes al dente comme indiqué sur le paquet.

2. Faites fondre le beurre dans une casserole, jetez-y la farine et mélangez.

3. Versez le lait peu à peu en mélangeant au fouet, puis laissez cuire quelques minutes.

4. Salez, poivrez, ajoutez le fromage et les pâtes.

5. Déposez une tranche de saumon fumé dans chaque assiette, puis répartissez les pâtes.

6. Servez avec du parmesan râpé et du basilic frais.

Conseil : si vous avez un four, vous pouvez faire gratiner les pâtes avec du parmesan avant de servir.

 Notes :

....

....

....

....

Les plats
de poissons

🔪 *10 mn*
👨‍🍳 *Facile*
✕ *4 personnes*
🛒 *de 3 à 5 €*

Vite fait
bien fait

8 fonds
d'artichauts

250 g de crevettes
décortiquées

2 avocats

1 tomate

4 c.s. de
mayonnaise

Paprika

Avocats
aux crevettes

Idéal pour les petits creux en été,
frais et plein de vitamines.

1. Coupez la tomate en petits morceaux
et ajoutez-y les fonds d'artichauts hachés.

2. Ajoutez la mayonnaise et les crevettes,
puis répartissez la préparation dans
les demi-avocats.

3. Saupoudrez d'un peu de paprika
et gardez au frais avant de servir.

*Conseil : servez avec des tranches
de pain ou une baguette fraîche.*

📖 Notes :

....

....

....

....

Filets
panés

Essayez et vous ne mangerez plus jamais de poissons panés surgelés. C'est tellement meilleur quand c'est fait maison !

10 mn
10 mn
Moyen
2 personnes
de 3 à 5 €

**Dîner
à deux**

1. Rincez les filets de poisson et essuyez-les.

2. Battez l'œuf dans une assiette creuse et versez la chapelure dans une autre ; faites chauffer l'huile dans une poêle.

3. Roulez les filets dans l'œuf, puis dans la chapelure et recommencez encore une fois.

4. Déposez les filets panés dans la poêle et faites-les frire de chaque côté pendant quelques minutes.

5. Servez avec des quartiers de citron et une salade.

4 petits filets de poisson blanc

1 citron

1 œuf

1 tasse de chapelure

10 cl d'huile

Sel

Poivre

Conseil : servez avec des pommes de terre sautées et vous obtiendrez presque un fish and chips !

Notes :

....

....

....

....

✐ 20 mn
🕐 10 mn
😊 Facile
✗ 2 personnes
🛒 de 3 à 5 €

Dîner
à deux

3 gousses ail

300 g de crevettes
décortiquées

5 échalotes

10 g de
gingembre frais

2 c.s. d'huile

4 c.s. de sauce
de soja

Crevettes
au gingembre

Pour les amateurs de cuisine asiatique,
voici des crevettes prêtes en un
clin d'œil qui feront des heureux.

1. Épluchez les échalotes, émincez-les et faites-
les revenir dans l'huile pendant quelques
minutes.

2. Hachez l'ail et le gingembre et mélangez-les
à la sauce de soja.

3. Ajoutez les crevettes aux échalotes
et faites-les revenir.

4. Ajoutez la sauce et laissez cuire
quelques minutes.

*Conseil : servez avec du riz
ou des nouilles chinoises.*

 Notes :

....

....

....

....

Gâteau de thon

20 mn
30 mn
Facile
6 personnes
de 1 à 3 €

Entre copains

1. Préchauffez le four à 180 °C (th. 6) et huilez un moule à cake.

2. Égouttez le thon et émiettez-le dans un saladier, ciselez la ciboulette et ajoutez-la.

3. Fouettez les œufs avec la farine, salez, poivrez et mélangez au thon.

4. Faites tremper les tranches de pain dans le lait, écrasez-les bien et versez le tout dans le saladier.

5. Mélangez et versez dans le moule, mettez au four pendant 30 minutes et laissez refroidir avant de servir.

1 kg de thon au naturel

2 tranches de pain de mie

15 cl de lait

2 œufs

2 c.s. de farine

1 bouquet de ciboulette

Sel

Poivre

Conseil : ce cake accompagne parfaitement les salades composées. Gardez-le au frais jusqu'au moment de servir.

Notes :

....

....

....

....

✎ 20 mn
🕐 10 mn
🍃 Facile
✗ 2 personnes
🛒 de 5 à 7 €

Dîner
à deux

2 kg de moules

10 g de beurre

2 branches
de céleri

1 oignon

1 verre
de vin blanc

Sel

 Notes :

....

....

....

....

Moules marinières

Des moules marinières comme
à la mer à servir avec des frites.

1. Lavez les moules dans une bassine d'eau
en grattant les coquilles et en arrachant
les barbes.

2. Jetez les moules cassées et rincez
une fois encore les autres.

3. Hachez l'oignon et coupez les tiges
de céleri en tronçons.

4. Faites fondre le beurre dans une casserole
avec couvercle, ajoutez l'oignon et le céleri,
puis salez.

5. Laissez blanchir quelques minutes à feu
moyen, jetez les moules, versez le vin,
couvrez et laissez cuire à feu vif pendant
2 minutes.

6. Secouez la casserole en la maintenant
fermée et remettez sur le feu 2 minutes.

7. Soulevez le couvercle ; si les moules sont
ouvertes, servez, sinon secouez et laissez
encore cuire 2 minutes.

Quiche au saumon et au brocoli

🖊 20 mn
🕐 45 mn
😋 Facile
✗ 4 personnes
🛒 de 3 à 5 €

Entre copains

1. Placez le saumon dans une papillote et faites-le cuire dans le four préchauffé à 180 °C (th. 6) pendant 15 minutes.

2. Lavez le brocoli, coupez les bouquets et faites-les cuire dans de l'eau salée bouillante pendant 10 minutes.

3. Déposez la pâte dans le moule à tarte avec le papier sulfurisé et répartissez le brocoli dessus.

4. Sortez le saumon et déposez-le par morceaux avec le brocoli.

5. Battez les œufs avec la crème, le persil ciselé, du sel et du poivre.

6. Versez le flan sur la pâte, couvrez de fromage et mettez au four pendant 30 à 45 minutes.

1 rouleau de pâte feuilletée

1 brocoli

300 g de saumon frais

2 œufs

20 cl de crème fraîche

50 g de fromage râpé

½ bouquet de persil

Sel

Poivre

Conseil : cette tarte peut donner lieu à de nombreuses variations : remplacez le saumon par du thon, le brocoli par des poireaux ou des courgettes…

🍳 Notes :

....

....

....

....

20 mn

5 mn

Facile

2 personnes

de 1 à 3 €

Vite fait
bien fait

200 g de chair
de crabe en boîte

1 oignon

2 gousses d'ail

½ bouquet de
coriandre

50 g de
chapelure

1 œuf

Sel

Poivre

Boulettes
de crabe

Ces délicieuses boulettes accompagnent
du riz ou peuvent aussi faire un petit en-cas.

1. Hachez l'oignon et écrasez l'ail.

2. Mélangez le crabe, l'ail, l'oignon,
la chapelure, la coriandre ciselée.

3. Salez et poivrez.

4. Mélangez bien, ajoutez l'œuf, formez des
boulettes et faites-les cuire dans de l'huile,
à la poêle, pendant 5 minutes.

*Conseil : ces boulettes peuvent
aussi se faire avec des crevettes.*

 Notes :

....

....

....

....

Filet de colin aux poivrons marinés

Une préparation à mettre au menu d'un repas romantique et équilibré.

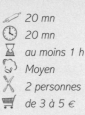

20 mn
20 mn
au moins 1 h
Moyen
2 personnes
de 3 à 5 €

Dîner à deux

1. Plongez les poivrons dans une casserole d'eau bouillante pendant 20 minutes, puis laissez-les refroidir dans un sac ou un linge.

2. Épluchez les poivrons, coupez-les en lanières et laissez-les mariner dans l'huile d'olive avec l'ail écrasé et le piment haché menu.

3. Laissez mariner jusqu'au moment du repas, faites alors cuire le poisson à la poêle avec un peu d'huile d'olive à feu doux, ou à la vapeur si possible.

4. Salez et poivrez le poisson, puis servez avec les poivrons dans leur marinade.

Conseil : ces poivrons marinés se dégustent aussi seuls avec du pain.

400 g de filet de colin

1 poivron rouge

1 poivron jaune

1 piment rouge

2 gousses d'ail

Sel

Poivre

Notes :

....

....

....

....

🖊 20 mn
🕐 20 mn
👩 Moyen
✗ 1 personne
🛒 de 5 à 7 €

Repas en solo

12 gambas

1 oignon

2 gousses d'ail

1 c.c. de curry

1 pomme

1 c.s. de gelée
de fruits rouges

10 cl de crème
fraîche

1 bouquet
de coriandre

Sel

Gambas
au curry

1. Faites sauter les gambas dans un peu
d'huile d'olive, puis laissez-les tiédir
et décortiquez-les.

2. Épluchez la pomme et coupez-la
en petits dés.

3. Émincez l'oignon, écrasez l'ail, puis mettez-les
dans une casserole avec de l'huile.

4. Faites-les revenir 2 minutes, ajoutez les
gambas, le curry, la pomme, la gelée,
un verre d'eau, salez, couvrez et laissez
cuire 10 minutes.

5. Lavez, ciselez la coriandre et ajoutez-la
avec la crème fraîche ; faites chauffer
encore 2 minutes et servez avec du riz
ou des pommes de terre.

🍲 Notes :

....

....

....

....

Quiche à la brandade

Une quiche simplissime pour régaler vos amis sans vous compliquer la vie.

20 mn
30 mn
Facile
4 personnes
de 1 à 3 €

Entre copains

1. Préchauffez le four à 180 °C (th. 6) et étalez la pâte dans le moule à tarte avec le papier sulfurisé.

2. Lavez et ciselez la ciboulette, battez les œufs avec la crème, poivrez et ajoutez la ciboulette.

3. Incorporez la brandade, puis versez sur la pâte et faites cuire pendant 30 minutes environ.

Conseil : servez cette quiche avec des légumes sautés ou en salade afin d'avoir un repas complet.

1 rouleau de pâte brisée

500 g de brandade de morue

2 œufs

20 cl de crème fraîche

1 bouquet de ciboulette

Poivre

Notes :

....

....

....

....

✎ 20 mn
🕐 45 mn
👨‍🍳 Facile
✗ 6 personnes
🛒 de 1 à 3 €

Entre copains

150 g de farine

½ sachet de levure

4 œufs

1 bouquet d'oseille

75 g de beurre fondu

10 cl de lait

600 g de thon au naturel

1 échalote

Sel, poivre

Cake au thon et à l'oseille

Un cake délicieux, facile à faire, que l'on partage entre amis.

1. Préchauffez le four à 180 °C (th. 6) et beurrez un moule à cake.

2. Hachez l'échalote, ciselez l'oseille, égouttez et émiettez le thon.

3. Mettez dans un saladier la farine avec la levure, puis incorporez les œufs au fouet.

4. Versez le beurre, puis le lait en mélangeant ; salez et poivrez.

5. Ajoutez l'échalote, l'oseille et le thon ; si la pâte semble trop épaisse, ajoutez un peu de lait.

6. Mélangez bien, versez dans le moule, puis mettez au four pendant 45 minutes environ.

Conseil : gardez ce cake au réfrigérateur pendant deux jours si tout n'a pas été dévoré avant !

🍴 Notes :

....

....

....

....

Cake au crabe et aux poivrons

Idéal pour faire le plein d'énergie :
un cake coloré et savoureux.

20 mn
45 mn
Facile
6 personnes
de 1 à 3 €

Entre
copains

1. Préchauffez le four à 180 °C (th. 6)
   et beurrez un moule à cake.

2. Coupez les poivrons en petits dés
   et égouttez le crabe.

3. Mettez dans un saladier la farine avec la
   levure, puis incorporez les œufs au fouet.

4. Versez l'huile, puis le lait en mélangeant ;
   salez et poivrez.

5. Ajoutez le crabe et les poivrons, mélangez
   bien, puis versez dans le moule et mettez
   au four pendant 45 minutes environ.

*Conseil : ajoutez quelques petites crevettes
roses dans le cake, il sera encore meilleur.*

2 poivrons rouges

300 g de chair de
crabe en boîte

200 g de farine

½ sachet
de levure

3 œufs

10 cl d'huile

10 cl de lait

Sel

Poivre

Notes :

✎ 20 mn
🕐 20 mn
👨‍🍳 Moyen
✗ 6 personnes
🛒 de 3 à 5 €

Entre copains

600 g de poisson blanc (colin, lieu, merlan)

350 g de riz basmati

1 oignon

1 c.s. de curry

75 cl de bouillon de volaille

1 bouquet de persil

6 œufs

Sel, poivre

Riz pilaf au poisson

Un plat pour les amateurs de poisson et d'épices, convivial et parfumé.

1. Faites cuire le poisson à la vapeur ou dans une casserole d'eau bouillante avec une feuille de laurier pendant 5 à 10 minutes selon l'épaisseur du filet.

2. Émincez l'oignon et faites-le revenir dans une casserole avec un peu d'huile.

3. Ajoutez le curry, salez, versez le riz et mélangez.

4. Versez le bouillon, portez à ébullition et laissez cuire jusqu'à ce que le riz ait tout absorbé.

5. Faites cuire les œufs dans de l'eau bouillante salée pendant 6 minutes, passez-les sous l'eau froide et écalez-les.

6. Mélangez le riz avec le poisson en morceaux, les œufs et ajoutez le persil ciselé.

Notes :

....

....

....

....

Filet de colin et brocoli

Un plat complet et savoureux
à essayer sans hésitation.

20 mn
20 mn
Facile
1 personne
de 3 à 5 €

Repas
en solo

1. Lavez le brocoli et coupez-le en bouquets.

2. Portez le bouillon à ébullition et faites-y cuire
   le poisson pendant 10 minutes environ, puis
   sortez-le et faites-y cuire le brocoli pendant
   10 minutes.

3. Sortez le brocoli, réservez, battez
   les jaunes avec la crème et versez
   la moitié du bouillon en mélangeant.

4. Ajoutez le jus de citron, salez et poivrez, puis
   servez le poisson et le brocoli avec la sauce
   et du riz ou des pommes de terre vapeur.

200 g de colin

50 cl de court-
bouillon

½ brocoli

1 jaune d'œuf

10 cl de crème
fraîche

2 c.s. de jus
de citron

Sel, poivre

*Conseil : pour garder le poisson au chaud
pendant que le brocoli cuit, couvrez-le
d'une feuille de papier d'aluminium.*

Notes :

....

....

....

....

🔪 20 mn
🕐 25 mn
💭 Facile
✂ 2 personnes
🛒 de 3 à 5 €

Dîner
à deux

2 pavés de
saumon

1 c.c. de moutarde
à l'ancienne

2 c.s. de sauce
de soja

1 gousse d'ail

1 c.c. de miel

300 g de
tagliatelles

Sel

Poivre

Notes :

....

....

....

....

Pavés
de saumon épicés

Une marinade sucrée-salée aux accents
orientaux et un saumon moelleux : un délice.

1. Déposez les pavés de saumon dans
   un plat à gratin.

2. Mélangez la sauce de soja, la moutarde,
   le miel, l'ail écrasé, salez et poivrez.

3. Versez ce mélange sur le saumon et passez
   le saumon au four pendant 15 minutes.

4. Faites cuire les pâtes dans de l'eau salée
   bouillante comme indiqué sur le paquet et
   servez-les avec le saumon et un filet d'huile
   d'olive.

*Conseil : tapissez votre plat de papier d'aluminium ou
sulfurisé, car la marinade risque d'attacher en cuisant.
Vous pouvez aussi faire cuire le poisson à la poêle,
mais versez de l'eau pour éviter que la marinade brûle.*

Soufflé
à la brandade

15 mn
30 mn
Moyen
2 personnes
de 1 à 3 €

Dîner
à deux

1. Préchauffez le four à 160 °C (th. 5)
et beurrez un moule à soufflé.

2. Séparez les jaunes des blancs et mélangez
4 jaunes avec la brandade.

3. Lavez et ciselez la ciboulette, ajoutez-la,
puis salez et poivrez.

4. Montez les blancs en neige ferme
et incorporez-les à la brandade.

5. Versez dans le moule et mettez au four
pendant 30 minutes, augmentez la
température à 180 °C (th. 6) au bout
de 15 minutes.

*Conseil : servez le soufflé aussitôt
avant qu'il ne dégonfle.*

**350 g de
brandade**

6 œufs

**½ bouquet
de ciboulette**

Sel

Poivre

Notes :

....

....

....

....

🖊 *15 mn*

🕐 *30 mn*

😴 *Moyen*

✗ *2 personnes*

🛒 *de 1 à 3 €*

Dîner
à deux

30 g de beurre

30 g de farine

35 cl de lait

200 g
de tarama

4 œufs

Sel

Poivre

Soufflé
au tarama

La préparation, surtout la cuisson
d'un soufflé, demande de l'attention,
mais vous en serez récompensé.

1. Préchauffez le four à 180 °C (th. 6)
et beurrez 4 ramequins.

2. Faites fondre le beurre dans une casserole,
jetez-y la farine, mélangez, puis versez
le lait en remuant.

3. Hors du feu, ajoutez les jaunes d'œufs,
puis le tarama, salez légèrement et poivrez.

4. Montez les blancs en neige ferme
et incorporez-les.

5. Versez dans le moule et mettez au four
pendant 30 minutes environ.

 Notes :

....

....

....

....

Crevettes sautées au sésame

🖊 *15 mn*
🕐 *30 mn*
💭 *Moyen*
✂ *4 personnes*
🛒 *de 3 à 5 €*

Un plat original et rapide à préparer,
à déguster sans modération.

Entre
copains

1. Faites mariner les crevettes avec la sauce de soja, le miel, l'ail écrasé et le gingembre pendant 30 minutes.

2. Faites chauffer un peu d'huile dans une poêle, puis faites-y sauter les crevettes avec les graines de sésame et la coriandre ciselée pendant 5 minutes à feu vif.

3. Faites cuire les pâtes comme indiqué sur le paquet et servez les crevettes avec les pâtes.

500 g de crevettes décortiquées

3 c.s. de sauce de soja

1 c.s. de miel

1 gousse d'ail

1 c.c. de gingembre en poudre

1 bouquet de coriandre

2 c.s. de graines de sésame

300 g de pâtes chinoises

Notes :

....

....

....

⟋ 4 mn

🕐 30 mn

💭 Moyen

✕ 4 personnes

🛒 de 1 à 3 €

Entre copains

2 aubergines

4 tomates

1 oignon

400 g de thon au naturel

1 c.s. de concentré de tomates

100 g de fromage

Huile d'olive

1 c.c. d'herbes de Provence

Sel

Poivre

 Notes :

....

....

....

....

Gratin de thon aux aubergines

Les aubergines fondantes font de ce gratin un succès.

1. Lavez les tomates et coupez-les en cubes.

2. Émincez l'oignon et faites-le revenir dans un peu d'huile d'olive, ajoutez les tomates, le concentré et le thon.

3. Faites cuire 5 minutes en mélangeant, puis salez, poivrez et ajoutez les herbes de Provence.

4. Coupez les aubergines en rondelles et faites-les griller rapidement à feu vif dans une poêle avec de l'huile d'olive.

5. Préchauffez el four à 180 °C (th.6) et huilez un plat à gratin.

6. Répartissez des aubergines dans le plat, couvrez de thon aux tomates et recommencez jusqu'à épuisement des ingrédients.

7. Couvrez de fromage et mettez au four pendant 20 minutes.

Conseil : ajoutez un poivron rouge en petits morceaux avec les tomates pour obtenir un gratin plus parfumé.

Les plats de volailles

✎ *10 mn*
🕐 *45 mn*
😋 *Facile*
✗ *2 personnes*
🛒 *de 5 à 7 €*

Dîner
à deux

**2 escalopes
de dinde
ou de poulet**

2 oignons

**25 cl de crème
fraîche liquide**

**250 g de
champignons
de Paris**

**100 g de
fromage râpé**

Gratin de volaille
aux champignons

1. Préchauffez le four à 180 °C (th. 6), passez un plat à gratin à l'huile et déposez les escalopes.

2. Émincez les oignons et répartissez-les sur les escalopes.

3. Émincez les champignons et ajoutez-les dans le plat.

4. Arrosez de crème fraîche, salez et poivrez.

5. Parsemez de fromage et mettez au four pendant 30 minutes.

*Conseil : à servir avec du riz
ou des pâtes pour se régaler.*

 Notes :

....

....

....

....

Ailerons de poulet marinés au miel

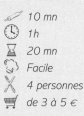

✎ 10 mn
🕐 1h
⏳ 20 mn
😋 Facile
✂ 4 personnes
🛒 de 3 à 5 €

1. Écrasez les gousses d'ail, pressez les citrons, puis mélangez-les dans un plat.

2. Ajoutez le miel, l'huile, le safran, mélangez bien, salez et poivrez.

3. Ajoutez les ailerons de poulet, enrobez-les de marinade et laissez mariner pendant 1 heure.

4. Passez les ailerons de poulet au four dans leur plat avec la marinade pendant 15 minutes environ, puis passez-les sous le gril pour les faire griller.

Conseil : vous pouvez aussi faire cuire les ailerons au barbecue.

Entre copains

500 g d'ailerons de poulet

3 citrons

1 g de safran

2 c.s. de miel

3 gousses d'ail

6 c.s. d'huile d'olive

Sel

Poivre

📖 Notes :

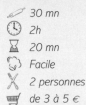
30 mn
2h
20 mn
Facile
2 personnes
de 3 à 5 €

Dîner
à deux

400 g de filet
de dinde

1 citron

1 bouquet
de coriandre

Huile d'olive

Sel

Poivre

Dinde
à la coriandre

De la dinde tendre et parfumée,
à déguster sans modération.

1. Coupez la dinde en cubes et mélangez-les
au jus du citron, à la coriandre ciselée
et à un filet d'huile d'olive.

2. Salez, poivrez, couvrez d'un film alimentaire
et mettez au frais pendant quelques heures.

3. Versez la viande dans une poêle et faites
cuire pendant 10 minutes environ à feu vif
afin de dorer les cubes de dinde.

4. Servez immédiatement avec du riz
et une salade fraîche.

 Notes :

....

....

....

....

Roulés
de dinde

15 mn
20 mn
Moyen
4 personnes
de 3 à 5 €

1. Lavez les tomates cerises, mettez-les dans une casserole avec un filet d'huile d'olive et faites-les cuire à feu doux et à couvert pendant 20 minutes.

2. Coupez la feta en longues tranches, disposez-les sur les escalopes, puis saupoudrez le tout de thym ; salez et poivrez.

3. Roulez les escalopes sur elles-mêmes et fixez-les avec une pique en bois.

4. Versez les tomates dans une grande poêle, arrosez d'un filet de vinaigre et saupoudrez de sucre.

5. Déposez les roulés de dinde sur les tomates, couvrez et faites cuire pendant 20 minutes à feu doux en surveillant et en versant un peu d'eau si nécessaire.

Conseil : vous pouvez faire cuire les tomates et les roulés au four à 180 °C (th. 6) pendant 30 minutes environ.

**Vite fait
bien fait**

4 escalopes
de dinde fines

250 g de feta

500 g de tomates
cerises

Huile d'olive

Vinaigre
balsamique

1 c.c. de sucre

Thym

Sel, poivre

Notes :

....

....

....

....

✐ *10 mn*
🕐 *40 mn*
😴 *Moyen*
✂ *4 personnes*
🛒 *de 3 à 5 €*

Entre copains

4 morceaux de dinde pour osso buco (hauts de cuisses)

3 oignons

1 boîte de concentré de tomates

500 g de tomates

1 c.c. de paprika

Sel, poivre

2 c.s. de crème fraîche

Osso buco de dinde

Le secret de l'osso buco est dans la cuisson : il faut être patient pour se régaler.

1. Émincez les oignons et faites-les blondir dans une grande casserole avec un peu d'huile.

2. Ajoutez les morceaux de dinde et faites-les dorer à feu vif.

3. Lavez les tomates, coupez-les en quartiers, puis ajoutez-les avec le concentré.

4. Ajoutez le paprika, mélangez, salez, poivrez, couvrez et laissez cuire pendant 30 minutes en ajoutant un peu d'eau en cours de cuisson si nécessaire.

5. Versez la crème fraîche, laissez encore cuire 2 minutes et servez.

🍽 Notes :

....

....

....

....

Poulet
aux abricots

Des cuisses de poulet tendres et des abricots gourmands pour un plat ensoleillé.

15 mn
1 h
Facile
4 personnes
de 3 à 5 €

Entre copains

1. Émincez les oignons et faites-les revenir dans une grande casserole avec un peu d'huile.

2. Ajoutez les cuisses de poulet, faites-les dorer, salez et poivrez légèrement, puis ajoutez une cuillère à café de thym.

3. Ajoutez les abricots, versez un verre d'eau, couvrez et laissez cuire pendant 1 heure en surveillant.

Conseil : ajoutez d'autres fruits secs (dattes, raisins, figues…) et des amandes mondées qui apporteront leur croquant.

4 cuisses de poulet

200 g d'abricots secs

3 oignons

Thym

Huile

Sel

Poivre

Notes :

....

....

....

....

🔪 30 mn
🕐 1 h 30 mn
😋 Facile
✗ 4 personnes
🛒 de 3 à 5 €

Entre
copains

1 poulet en
morceaux

1 bouquet garni

2 têtes d'ail

10 cl d'huile
d'olive

Sel

Poivre

Poulet
à l'ail

1. Faites dorer les morceaux de poulet
dans une cocotte avec la moitié de
l'huile sur feu vif.

2. Séparez les gousses d'ail et retirez
la peau extérieure.

3. Salez et poivrez le poulet, puis ajoutez
le bouquet garni et les gousses d'ail.

4. Versez le reste d'huile, couvrez et laissez
cuire pendant 1 heure environ en ajoutant
un peu d'eau si nécessaire.

*Conseil : Vous pouvez faire cuire le poulet à l'ail
à 180 °C (th. 6) si vous avez un four.*

🧑‍🍳 Notes :

....

....

....

....

Sauté
de dinde

🔪 10 mn
🕐 20 mn
😊 Facile
✗ 4 personnes
🛒 de 3 à 5 €

1. Hachez les oignons et coupez le poivron en lanières.

2. Émincez les escalopes de dinde et faites-les dorer dans un peu d'huile.

3. Ajoutez les oignons, faites cuire quelques minutes en mélangeant, puis ajoutez les poivrons.

4. Salez, poivrez, couvrez et laissez cuire pendant 10 minutes.

5. Saupoudrez de paprika, mélangez, puis versez la crème et servez.

*Conseil : vous pouvez remplacer
la dinde par du poulet.*

**Vite fait
bien fait**

**4 escalopes
de dinde**

1 poivron rouge

2 oignons

25 cl de crème

**1 c.s. de
paprika doux**

Sel

Poivre

👨‍🍳 Notes :

....

....

....

....

15 mn
1 h
Moyen
2 personnes
de 3 à 5 €

Dîner
à deux

2 blancs
de poulet

4 endives

20 g de beurre

1 c.s. de sucre

Sel, poivre

25 cl de crème
fraîche

Notes :

....

....

....

....

Poulet aux endives braisées

Redécouvrez les endives et leur parfum
subtil dans ce plat délicieux.

1. Coupez le pied des endives, creusez
un cône à la base et retirez les feuilles
extérieures.

2. Faites fondre le beurre dans une grande
casserole, mettez-y les endives, couvrez et
laissez cuire doucement pendant 15 minutes
en surveillant.

3. Saupoudrez les endives de sucre, ajoutez un
peu d'eau pour que les endives ne brûlent
pas, couvrez et laissez cuire pendant 30
minutes en les retournant 1 ou 2 fois.

4. Sortez les endives de la casserole, mettez-y
les blancs de poulet, faites-les caraméliser
dans le jus des endives, puis laissez cuire
à couvert pendant 20 minutes.

5. Salez, poivrez, remettez les endives dans
la casserole, ajoutez la crème, puis laissez
chauffer quelques minutes avant de servir.

*Conseil : servez avec des pommes
de terre cuites à l'eau ou à la vapeur.*

Poulet
à l'ananas

Un plat qui sent les vacances :
fruité, parfumé et coloré.

15 mn
20 mn
Facile
2 personnes
de 3 à 5 €

Dîner
à deux

1. Émincez les oignons et faites-les
revenir dans un peu d'huile.

2. Coupez le poulet en morceaux, ajoutez-les,
puis faites-les dorer pendant 5 minutes
à feu vif.

3. Coupez l'ananas en dés et ajoutez-les
avec le thym et le quatre-épices.

4. Faites cuire quelques minutes à couvert,
puis arrosez d'un trait de jus de citron
avant de servir.

*Conseil : vous pouvez préparer des brochettes
de poulet, d'oignon et d'ananas, les assaisonner
et les passer au four ou au barbecue.*

2 blancs de poulet

**4 rondelles
d'ananas**

2 oignons

1 citron vert

1 c.c. de thym

**½ c.c. de
quatre-épices**

Sel

Poivre

Notes :

....

....

....

....

✎ *20 mn*
🕐 *45 mn*
😋 *Facile*
✗ *1 personne*
🛒 *de 1 à 3 €*

**Repas
en solo**

**2 cuisses
de poulet**

1 oignon

1 gousse d'ail

1 pomme

**1 c.c. de gelée
de fruits**

Sel, poivre

1 c.s. de curry

**10 cl de crème
fraîche**

Curry
de poulet

1. Épluchez la pomme et coupez-la en petits morceaux.

2. Émincez l'oignon et écrasez la gousse d'ail.

3. Faites-les revenir dans une grande casserole avec un peu d'huile et faites-y dorer le poulet.

4. Ajoutez le curry, la pomme et la gelée, puis un grand verre d'eau ; mélangez, salez et laissez cuire à couvert pendant 45 minutes.

5. Versez la crème fraîche, mélangez et servez avec du riz basmati.

*Conseil : pour adoucir le piquant du curry, on peut
servir ce plat avec des bananes coupées
en rondelles que l'on ajoute dans son assiette.*

🍳 Notes :

....

....

....

....

Tajine de poulet et d'aubergines

Ce poulet délicieux se prépare normalement dans un plat traditionnel en terre cuite.

20 mn
1 h 15 mn
Moyen
6 personnes
de 3 à 5 €

Entre copains

1. Faites dorer les morceaux de poulet dans un peu d'huile et réservez-les.

2. Émincez les oignons et faites-les revenir dans une grande cocotte avec un peu d'huile.

3. Lavez les aubergines, coupez-les en cubes, ajoutez-les aux oignons, faites revenir à feu vif, puis ajoutez les tomates en petits morceaux.

4. Épluchez l'ail, coupez les gousses en deux et ajoutez-les avec le ras-el-hanout ; mélangez, versez le bouillon et ajoutez le poulet.

5. Couvrez et faites cuire pendant 1 heure.

6. Lavez, ciselez la coriandre et ajoutez-la avant de servir

6 morceaux de poulet

2 aubergines

2 oignons

2 tomates

6 gousses d'ail

1 bouquet de coriandre

50 cl de bouillon de poule

1 c.s. de ras-el-hanout

Sel, poivre

Notes :

....

....

....

....

30 mn

1 h

Facile

6 personnes

de 3 à 5 €

Entre
copains

6 morceaux
de poulet

6 pommes de terre

2 oignons

3 gousses d'ail

2 citrons confits

150 g d'olives
vertes

1 bouquet
de coriandre

1 c.c. de
gingembre râpé
ou en poudre

2 g de safran

Sel, poivre

Notes :

....

....

....

....

Tajine aux citrons confits

C'est le tajine le plus populaire
et le plus facile à réaliser.

1. Faites dorer les morceaux de poulet dans
   un peu d'huile et réservez-les.

2. Épluchez les pommes de terre et coupez-les
   en gros cubes.

3. Émincez les oignons et faites-les revenir
   dans un peu d'huile.

4. Ajoutez les pommes de terre, le gingembre,
   le safran, mélangez, puis salez et poivrez.

5. Ajoutez les gousses d'ail épluchées, les olives
   et les citrons coupés en morceaux.

6. Ajoutez le poulet.

7. Versez 30 centilitres d'eau, couvrez
   et laissez cuire pendant 45 minutes environ.

*Conseil : vous pouvez faire cuire le tajine au four
si vous avez un plat en terre ou une cocotte.*

Poulet sauté aux poivrons

1. Coupez le poulet en dés, arrosez-le de sauce de soja, puis laissez macérer pendant 30 minutes. Émincez l'oignon et faites-le revenir dans un peu d'huile d'olive.

2. Lavez les poivrons, coupez-les en lanières, ajoutez-les aux oignons et faites revenir à feu vif pendant 5 minutes.

3. Ajoutez le poulet, faites sauter encore quelques minutes, puis couvrez et laissez cuire pendant 20 minutes à feu doux. Lavez et ciselez la coriandre, puis ajoutez-la avant de servir.

Club sandwiches au poulet

1. Faites dorer les blancs de poulet pendant 20 minutes dans un peu d'huile, puis coupez-les en tranches fines et mettez-les sur une assiette.

2. Faites griller les tranches de bacon dans une poêle sans matière grasse et mettez-les dans une assiette sur une feuille de papier absorbant.

3. Lavez la salade et mettez les feuilles dans un saladier, lavez les tomates et coupez-les en tranches. Faites griller les tranches de pain au fur et à mesure, et chaque convive se prépare son sandwich en se servant des ingrédients.

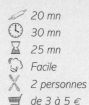

20 mn
30 mn
25 mn
Facile
2 personnes
de 3 à 5 €

Dîner
à deux

2 blancs de poulet
1 poivron rouge
1 poivron vert
1 oignon
4 c.s. de sauce de soja
1 bouquet de coriandre
Huile d'olive

30 mn
10 mn
Facile
4 personnes
de 1 à 3 €

Entre
copains

2 blancs de poulet
12 tranches de bacon
1 pain de mie tranché
1 salade verte
4 tomates
200 g de gouda en tranches
1 tube de mayonnaise

🖊 *30 mn*
🕐 *1 h*
😌 *Facile*
✕ *4 personnes*
🛒 *de 1 à 3 €*

Entre copains

1 rouleau de pâte brisée

1 oignon

2 poireaux

2 blancs de poulet

2 œufs

20 cl de crème fraîche

1 bouquet de ciboulette

Sel, poivre

50 g de fromage râpé

 Notes :

....

....

....

....

Quiche au poulet et aux poireaux

Une quiche si gourmande que tout le monde vous la réclamera !

1. Retirez les feuilles extérieures des poireaux, jetez le vert et coupez les blancs en rondelles.

2. Coupez les blancs de poulet en lamelles.

3. Émincez l'oignon et faites-le revenir dans un peu d'huile.

4. Ajoutez le poulet et faites sauter à feu vif pendant 5 minutes.

5. Ajoutez les poireaux, versez un petit verre d'eau, couvrez et faites cuire à feu doux pendant 20 minutes.

6. Préchauffez le four à 180 °C (th. 6) et étalez la pâte avec le papier sulfurisé dans le moule à tarte.

7. Fouettez les œufs avec la crème, salez et poivrez, puis ajoutez la ciboulette ciselée.

8. Versez les poireaux et le poulet sur la pâte, puis versez la crème et couvrez de fromage.

9. Mettez au four pendant 45 minutes et servez avec une salade.

Cake de poulet à l'estragon

- ✏ 20 mn
- 🕐 50 mn
- 😊 Facile
- ✕ 4 personnes
- 🛒 de 1 à 3 €

Entre copains

1. Coupez le poulet en petits morceaux, préchauffez le four à 180 °C (th. 6) et huilez un moule à cake.

2. Émincez les échalotes et faites-les revenir dans un peu d'huile d'olive.

3. Ajoutez le poulet, faites sauter pendant 5 minutes à feu vif, puis versez un peu d'eau et faites cuire encore 10 minutes en surveillant.

4. Mélangez la farine et la levure dans un saladier et incorporez les œufs avec un fouet.

5. Versez l'huile, puis le lait en mélangeant, salez, poivrez et ajoutez le fromage.

6. Lavez et ciselez l'estragon, ajoutez-le ainsi que le poulet et mélangez bien.

7. Versez dans le moule et mettez au four pendant 40 minutes environ.

200 g de farine

1 sachet de levure

3 œufs

10 cl d'huile d'olive

10 cl de lait

100 g de fromage râpé

3 échalotes

2 blancs de poulet

1 bouquet d'estragon

Sel, poivre

🧑‍🍳 Notes :

....

....

....

....

Conseil : pour vérifier la cuisson, plongez une lame dans le cake : il est cuit si elle ressort propre.

🖊 *20 mn*
🕐 *55 mn*
🍳 *Facile*
✂ *4 personnes*
🛒 *de 1 à 3 €*

Entre copains

1 oignon

2 blancs de poulet

250 g de petits pois surgelés

200 g de farine

1 sachet de levure

3 œufs

10 cl d'huile d'olive

10 cl de lait

100 g de fromage râpé

👨‍🍳 Notes :

....

....

....

....

Cake au poulet et aux petits pois

Un cake original et nourrissant,
facile à transporter pour les petits creux.

1. Coupez le poulet en petits morceaux,
préchauffez le four à 180 °C (th. 6)
et huilez un moule à cake.

2. Émincez l'oignon et faites-le revenir
dans un peu d'huile.

3. Ajoutez le poulet, faites sauter à feu vif
pendant 5 minutes, puis versez un peu d'eau,
ajoutez les petits pois, couvrez et faites cuire
à feu doux pendant 10 minutes.

4. Mélangez la farine et la levure dans
un saladier et incorporez les œufs
avec un fouet.

5. Versez l'huile, puis le lait en mélangeant,
salez, poivrez et ajoutez le fromage.

6. Ajoutez le poulet aux petits pois, mélangez
et versez dans le moule.

7. Mettez dans le four pendant 45 minutes
environ et laissez tiédir avant de servir.

Gratin de poulet au curry

25 mn

15 mn

Moyen

4 personnes

de 1 à 3 €

Entre copains

1. Émincez les oignons et faites-les revenir dans 10 grammes de beurre.

2. Coupez le poulet en dés, ajoutez-les aux oignons et laissez cuire 15 minutes.

3. Préchauffez le four à 210 °C (th. 7) et beurrez un plat à gratin.

4. Faites fondre 40 grammes de beurre dans une casserole.

5. Ajoutez la farine en mélangeant, puis, quand elle est bien absorbée, versez doucement le lait en remuant.

6. Salez, poivrez, mettez le curry, puis laissez épaissir.

7. Ajoutez le poulet à la sauce, mélangez et versez dans le plat.

8. Couvrez de fromage, puis mettez au four 10 minutes et 5 minutes sous le gril.

Conseil : accompagnez ce gratin de pommes de terre sautées.

400 g de blanc de poulet

3 oignons

1 c.c. de curry

50 g de beurre

40 g de farine

50 cl de lait

100 g de fromage râpé

Sel

Poivre

Notes :

....

....

....

....

20 mn
25 mn
Facile
6 personnes
de 3 à 5 €

Entre
copains

1 rouleau de pâte
feuilletée

5 oignons

3 escalopes
de dinde

2 œufs

20 cl de crème
fraîche

50 g de
fromage râpé

Sel

Poivre

Quiche
à la dinde

1. Émincez les oignons et faites-les revenir
dans un peu d'huile.

2. Coupez la dinde en petits morceaux,
ajoutez-la aux oignons, puis faites sauter
à feu vif pendant quelques minutes.

3. Préchauffez le four à 180 °C (th. 6)
et étalez la pâte dans un moule à tarte
avec le papier sulfurisé.

4. Fouettez les œufs avec la crème,
salez et poivrez.

5. Répartissez la dinde aux oignons
sur la pâte, puis versez la crème dessus.

6. Couvrez de fromage et mettez
au four pendant 45 minutes.

*Conseil : vous pouvez remplacer la dinde par
du poulet et ajouter un légume dans la quiche ; sinon
servez-la avec une salade pour équilibrer le repas.*

 Notes :

....

....

....

....

Les viandes rouges et blanches

5 mn

30 mn

Facile

3 personnes

de 1 à 3 €

Vite fait
bien fait

1 oignon

1 gousse d'ail

400 g de viande
hachée

400 g de haricots
rouges en boîte

400 g de tomates
pelées en boîte

1 boîte de
concentré de
tomates

1 c.c. de sucre

2 c.c. d'épices
pour chili

Sel, poivre

Huile d'olive

Notes :

....

....

....

....

Chili
con carne

1. Hachez l'oignon et faites-le revenir dans
   un peu d'huile d'olive.

2. Ajoutez la viande et mélangez bien
   afin qu'elle ne s'agglutine pas.

3. Versez les tomates pelées avec leur jus
   et le concentré de tomates, ajoutez
   le sucre et mélangez.

4. Coupez la gousse d'ail en deux,
   retirez le germe et ajoutez la gousse
   dans la casserole.

5. Ajoutez les haricots égouttés, les épices,
   salez, poivrez, portez à ébullition, puis
   laissez cuire à couvert pendant 30 minutes.

*Conseil : servez ce chili avec du riz ou
de belles tranches de pain de campagne.*

Agneau au basilic

Que de parfums dans ce plat
d'agneau très complet et convivial !

✎ 20 mn
🕐 45 mn
🐑 Moyen
✗ 4 personnes
🛒 de 3 à 5 €

Entre copains

1. Épluchez les pommes de terre, coupez-les
   en quatre, puis coupez la viande en cubes.

2. Émincez les oignons et faites-les blondir
   dans une grande casserole avec
   une noix de beurre.

3. Ajoutez la viande et faites-la dorer.

4. Épluchez l'ail, retirez le germe, pressez la
   gousse, puis ajoutez-la avec le concentré de
   tomates, les pommes de terre et le bouillon.

5. Mélangez bien, salez, poivrez, couvrez
   et laissez cuire pendant 45 minutes.

6. Délayez la maïzena dans une cuillère de
   sauce, versez dans la casserole, mélangez
   et laissez encore sur le feu 5 minutes avant
   de servir.

1 kg de pommes
de terre

800 g d'épaule
d'agneau

2 oignons

1 gousse d'ail

1 boîte de
concentré de
tomates

1 litre de bouillon
de volaille

1 bouquet
de basilic

2 c.s. de maïzena

👨‍🍳 Notes :

....

....

....

....

🖊 *15 mn*
🕐 *20 mn*
😋 *Facile*
✗ *2 personnes*
🛒 *de 1 à 3 €*

Dîner
à deux

1 rouleau de
pâte feuilletée

3 tranches de
jambon cuit

1 oignon

Beurre

200 g de
champignons
de Paris

50 g de fromage
râpé

2 œufs

10 cl de crème
fraîche

1 jaune d'œuf

👨‍🍳 Notes :

Chausson
au jambon

Nourrissant et très simple à réaliser,
ce chausson au jambon et aux
champignons vous régalera.

1. Préchauffez le four à 180 °C (th. 6).

2. Coupez les pieds des champignons,
rincez les chapeaux et émincez-les.

3. Hachez l'oignon, faites-le blondir dans une
noix de beurre et ajoutez les champignons.

4. Faites cuire jusqu'à évaporation de l'eau
de cuisson, salez et poivrez.

5. Étalez la pâte avec le papier sulfurisé
sur une plaque allant au four.

6. Battez les œufs entiers avec la crème,
salez et poivrez.

7. Déposez le jambon, couvrez de
champignons, versez les œufs et
couvrez de fromage.

8. Fermez la pâte en un chausson, entaillez
le dessus et dorez-le au jaune d'œuf.

9. Mettez au four pendant 20 minutes.

*Conseil : préparez ce chausson dans un plat
afin de faire remonter la pâte le long du bord
pour éviter que la crème ne coule.*

Hamburgers parfumés

Ces hamburgers seront parfaits pour un repas entre amis à préparer tous ensemble.

30 mn
15 mn
Facile
4 personnes
de 1 à 3 €

Vite fait
bien fait

1. Hachez l'oignon, puis mélangez-le
à la viande hachée.

2. Incorporez le cumin, salez, poivrez
et façonnez 4 hamburgers.

3. Faites cuire les hamburgers dans le beurre
à la poêle et faites griller les petits pains.

4. Coupez la tomate en rondelles
et la laitue en lanières.

5. Étalez du ketchup sur un demi-pain et
déposez un peu de salade, une rondelle
de tomate et les hamburgers.

6. Couvrez avec le fromage, un peu de salade,
puis le deuxième demi-pain et servez.

*Conseil : variez les ingrédients : ajoutez
du bacon, des cornichons, une sauce aux herbes…*

**8 demi petits pains
pour hamburger**

**400 g de viande
hachée**

1 oignon

**2 c.c. de graines
de cumin**

10 g de beurre

½ salade Iceberg

1 tomate

**4 tranches
de fromage**

Ketchup

Sel, poivre

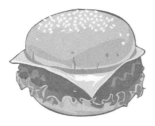

Notes :

....

....

....

....

🖊 *40 mn*

🕐 *30 mn*

👨‍🍳 *Moyen*

✗ *4 personnes*

🛒 *de 3 à 5 €*

Entre copains

400 g d'agneau haché

2 oignons

3 tomates

1 poivron vert

2 aubergines

1 gousse d'ail

1 c.c. de feuilles de thym

Huile d'olive

Moussaka

Cette moussaka est facile
à préparer et savoureuse.

1. Hachez les oignons et faites-les revenir dans
un peu d'huile d'olive dans une grande
casserole.

2. Lavez le poivron et les tomates, coupez-les
en dés et ajoutez-le aux oignons.

3. Ajoutez la viande, salez, poivrez, ajoutez le
thym et faites rissoler pendant 5 minutes.

4. Écrasez les gousses d'ail et ajoutez-les.

5. Lavez les aubergines, coupez-les en tranches,
puis faites-les griller à feu vif en 2 minutes
dans une poêle avec un peu d'huile d'olive.

6. Déposez les aubergines sur la viande, salez,
poivrez, couvrez et faites cuire pendant 30
minutes à feu doux.

*Conseil : servez la moussaka avec du riz ou des
pommes de terre sautées bien poivrées.*

 Notes :

....

....

....

....

Côtes de porc au miel

Un plat délicieux pour les amateurs de sucré-salé et de viande grillée.

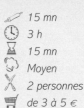

15 mn
3 h
15 mn
Moyen
2 personnes
de 3 à 5 €

Dîner à deux

1. Mélangez le miel et la sauce de soja dans un saladier.

2. Pressez le citron et ajoutez le jus, râpez le gingembre et ajoutez-le.

3. Mélangez, mettez les côtes de porc dans la marinade, enrobez-les bien et faites mariner pendant 3 heures en les mélangeant de temps en temps.

4. Faites griller les côtes de porc avec leur marinade et servez aussitôt.

Conseil : servies avec des nouilles chinoises sautées, ces côtes de porc font l'unanimité !

4 côtes de porc

4 c.s. de miel

3 c.s. sauce de soja

10 g de gingembre frais

1 citron

Notes :

....

....

....

....

✐ *20 mn*

🕐 *45 mn*

💭 *Facile*

✗ *1 personne*

🛒 *de 3 à 5 €*

Repas
en solo

200 g de viande
hachée

1 oignon

1 pincée de
muscade moulue

3 pommes
de terre

Huile

Beurre

50 g de
fromage râpé

 Notes :

....

....

....

....

Hachis Parmentier

Un plat chaud et riche pour se donner de la force avant d'affronter les examens...

1. Préchauffez le four à 200 °C (th. 7) et huilez un plat à gratin.

2. Épluchez les pommes de terre et faites-les cuire dans une casserole d'eau bouillante salée pendant 30 minutes.

3. Écrasez-les avec une grosse noix de beurre, ajoutez la muscade, salez, poivrez.

4. Hachez l'oignon et faites-le revenir dans une poêle avec un peu d'huile.

5. Ajoutez la viande et mélangez bien pendant quelques minutes afin qu'elle ne s'agglutine pas en cuisant.

6. Salez, poivrez et répartissez la viande dans le plat.

7. Couvrez avec la purée, parsemez de morceaux de beurre et de fromage râpé, puis mettez au four pendant 15 minutes environ.

Tartiflette

La vraie tartiflette, comme si vous étiez à la montagne après une bonne journée de ski !

✐ *20 mn*
🕐 *40 mn*
🐾 *Facile*
✂ *4 personnes*
🛒 *de 3 à 5 €*

Entre copains

1. Préchauffez le four à 210 °C (th. 7) et huilez un plat à gratin.

2. Faites cuire les pommes de terre dans de l'eau salée bouillante jusqu'à ce que la lame d'un couteau s'enfonce sans résistance.

3. Émincez les oignons et faites-les blondir avec les lardons.

4. Une fois les pommes de terre tièdes, épluchez-les et coupez-les en rondelles.

5. Coupez le reblochon en deux horizontalement.

6. Répartissez les pommes de terre dans le plat, versez les oignons et les lardons dessus, puis couvrez avec les demi-reblochons.

7. Mettez au four pendant une vingtaine de minutes pour que le fromage fonde et gratine.

1 kg de pommes de terre

1 reblochon

200 g de lardons fumés

2 oignons

Sel

Poivre

🍳 Notes :

....

....

....

....

✎ 20 mn
🕐 40 mn
💭 Facile
✂ 4 personnes
🛒 de 1 à 3 €

Entre
copains

150 g de farine

3 œufs

5 cl d'huile

15 cl de bière
brune

4 tranches de
jambon cuit

100 g d'olives
vertes

Sel

Poivre

Cake à la bière
et au jambon

1. Préchauffez le four à 180 °C (th. 6)
et beurrez un moule à cake.

2. Coupez le jambon en petits morceaux,
hachez grossièrement les olives.

3. Mettez la farine dans un saladier, salez,
poivrez, puis incorporez les œufs.

4. Ajoutez l'huile et versez la bière en
mélangeant.

5. Ajoutez le jambon et les olives, mélangez,
puis versez dans le moule.

6. Faites cuire pendant 45 minutes et vérifiez
la cuisson en plongeant une lame dans
le cake : elle doit en ressortir sèche.

*Conseil : vous pouvez utiliser de la bière
blonde : le parfum sera un peu moins fort.*

👨‍🍳 Notes :

....

....

....

....

Pain
de veau

10 mn
30 mn
Facile
1 personne
de 3 à 5 €

1. Préchauffez le four à 180 °C (th. 6)
et huilez un plat à gratin.

2. Retirez la croûte du pain et faites tremper
la mie dans le lait.

3. Hachez finement l'oignon.

4. Mettez la viande et l'oignon dans
un saladier, salez, poivrez et ajoutez
le persil lavé et ciselé.

5. Ajoutez le jaune d'œuf et la mie de pain
égouttée, mélangez bien à la fourchette.

6. Déposez cette préparation dans le plat,
façonnez-la en forme de pain, puis faites
cuire pendant 30 minutes environ.

*Conseil : ce pain de veau se déguste
aussi bien chaud que froid.*

Repas
en solo

250 g de
veau haché

1 oignon

1 tranche de
pain de mie

5 cl de lait

6 brins de persil

1 jaune d'œuf

Sel

Poivre

Notes :

....

....

....

....

🔪 *10 mn*
🕐 *20 mn*
😋 *Facile*
✂ *6 personnes*
🛒 *de 1 à 3 €*

Entre copains

1 kg de tomates

2 c.s. de concentré de tomates

1 c.c. de sucre

600 g de bœuf haché

1 jaune d'œuf

2 oignons

2 tranches de pain de mie

10 cl de lait

1 bouquet de coriandre

1 c.c. de cumin

Sel, poivre

Huile d'olive

Notes :

....

....

....

....

Boulettes de bœuf à la tomate

Voici de quoi agrémenter des pâtes ou du riz nature.

1. Coupez les tomates en petits dés et hachez les oignons.

2. Faites revenir un oignon dans une casserole avec un peu d'huile d'olive et ajoutez les tomates.

3. Ajoutez le concentré et le sucre, mélangez, couvrez et laissez mijoter pendant 20 minutes.

4. Retirez la croûte du pain et faites tremper la mie dans le lait.

5. Mettez la viande dans un saladier avec le dernier oignon haché et le jaune d'œuf.

6. Salez, poivrez, ajoutez le cumin, la moitié de la coriandre ciselée et mélangez bien.

7. Formez des boulettes de viande, faites-les cuire dans une poêle et ajoutez un peu d'eau si nécessaire.

8. Servez bien chaud avec la sauce.

Boulettes d'agneau à la menthe

✐ *10 mn*
🕐 *25 mn*
😊 *Facile*
✗ *6 personnes*
🛒 *de 3 à 5 €*

Entre
copains

1. Lavez la menthe et ciselez-la finement.

2. Mélangez la viande avec la moitié de la menthe dans un saladier.

3. Ajoutez le curry, salez, poivrez, mélangez et formez des boulettes.

4. Faites cuire 20 minutes ces boulettes dans une poêle avec un peu d'huile et en les retournant régulièrement.

5. Préparez une sauce à la menthe en faisant chauffer le reste de menthe avec le sucre, le vinaigre et 10 centilitres d'eau ; salez et poivrez.

*Conseil : accompagnez l'agneau d'un tzatziki
pour rester dans les parfums de menthe.*

**600 g d'agneau
haché**

2 c.c. de curry

**2 bouquets de
menthe fraîche**

1 c.s. de sucre

**15 cl de
vinaigre de vin**

Sel

Poivre

🐿 Notes :

....

....

....

....

✍ *15 mn*
🕐 *30 mn*
😊 *Facile*
✗ *4 personnes*
🛒 *de 1 à 3 €*

Entre
copains

1 rouleau
de pâte brisée

500 g de bœuf
haché

2 c.s. de concentré
de tomates

2 oignons

1 bouquet de
persil

100 g de fromage
râpé

Sel, poivre

Huile d'olive

👨‍🍳 Notes :

....

....

....

....

Tarte
à la viande

1. Préchauffez le four à 180 °C (th. 6)
et garnissez un moule à tarte de pâte.

2. Hachez les oignons et faites-les revenir
dans un peu d'huile d'olive.

3. Ajoutez la viande, le concentré de tomates
et faites rissoler pendant 5 minutes.

4. Salez, poivrez et ajoutez le persil ciselé.

5. Versez la viande sur la pâte, couvrez
de fromage et mettez au four pendant
30 minutes.

*Conseil : pour une tarte très riche,
vous pouvez casser 3 œufs sur la viande
avant de couvrir de fromage.*

Bœuf sauté et épicé

20 mn
10 mn
Moyen
2 personnes
de 3 à 5 €

Un plat pour les amateurs de saveurs venues d'ailleurs, ou de découvertes surprenantes.

Dîner
à deux

1. Coupez l'entrecôte en petites lamelles en éliminant le gras.

2. Émincez les oignons et faites-les blondir dans un peu d'huile.

3. Ajoutez la viande, puis l'ail écrasé, le gingembre pelé, râpé et le piment haché.

4. Faites cuire pendant quelques minutes à feu assez vif, puis diminuez et ajoutez la sauce d'huître.

5. Goûtez, ajustez l'assaisonnement, puis servez avec des pâtes de riz ou du riz.

350 g d'entrecôte

2 oignons

2 gousses d'ail

20 g de gingembre

1 piment rouge

2 c.s. de sauce d'huître

Huile de tournesol

Sel

Poivre

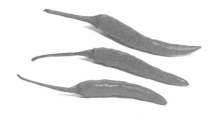

Notes :

....

....

....

....

30 mn

40 mn

Moyen

2 personnes

de 3 à 5 €

Dîner
à deux

150 g de bœuf
haché

150 g de blanc
de poulet

2 tranches de pain
de mie rassis

20 cl de lait

1 œuf

1 échalote

1 c.s. de thym

200 g de gruyère
râpé

2 courgettes

Sel, poivre

Notes :

....

....

....

....

Courgettes farcies gratinées

Ces courgettes parfumées et gratinées
vous régaleront ainsi que vos convives.

1. Faites tremper le pain dans le lait, hachez
le poulet et l'échalote.

2. Dans un saladier, mélangez le bœuf,
le poulet, le pain, l'œuf, l'échalote et
mélangez à la main.

3. Ajoutez le thym, salez et poivrez.

4. Préchauffez le four à 210 °C (th. 7) et versez
un verre d'eau dans un plat à gratin.

5. Lavez les courgettes, coupez-les en deux,
videz-les, puis remplissez-les avec la farce.

6. Mettez les courgettes dans le plat, couvrez
de gruyère et faites cuire 40 minutes.

*Conseil : le gratin sera plus onctueux avec
quelques tranches de mozzarella et un filet d'huile
d'olive à la place (ou en plus) du fromage râpé.*

Gratin provençal

Découvrez ce gratin aux parfums et aux couleurs qui donneront un air méditerranéen à votre table.

40 mn
30 mn
Facile
2 personnes
de 3 à 5 €

Dîner
à deux

1. Coupez l'oignon et le poivron et faites-les cuire avec 1 cuillère à soupe d'huile d'olive.

2. Coupez la courgette en morceaux, ajoutez-la dans la casserole et laissez mijoter 10 minutes.

3. Préchauffez le four à 210 °C (th. 7).

4. Dans une poêle, faites revenir la viande avec 1 cuillère à soupe d'huile d'olive.

5. Versez les légumes sur la viande, ajoutez le coulis de tomates, salez, poivrez et parfumez aux herbes de Provence.

6. Versez le tout dans un plat à gratin, couvrez de gruyère et mettez au four 20 minutes.

Conseil : vous pouvez ajouter quelques tranches de mozzarella avant le gruyère… et un filet d'huile d'olive.

300 g de viande hachée

1 courgette

1 poivron vert

1 oignon

40 cl de coulis de tomates

Sel, poivre

Herbes de Provence

100 g de gruyère râpé

Huile d'olive

Notes :

....

....

....

....

✎ *25 mn*
🕐 *1 h 30 mn*
💭 *Moyen*
✗ *4 personnes*
🛒 *de 3 à 5 €*

Entre copains

500 g de veau

15 cl de vin blanc

50 g de carottes

2 oignons

1 bouquet garni

40 g de beurre

40 g de farine

1 jaune d'œuf

Blanquette de veau

1. Émincez les carottes et les oignons.

2. Coupez la viande en cubes, mettez-les dans une casserole, puis couvrez d'eau.

3. Ajoutez les carottes et les oignons, le vin, le bouquet garni, salez et poivrez, puis portez à ébullition.

4. Écumez la surface, puis couvrez et laissez cuire à feu doux pendant 1 heure 30.

5. Réservez la viande, passez le bouillon, puis réservez-le.

6. Faites fondre le beurre dans la casserole, jetez-y la farine, mélangez, puis versez peu à peu le bouillon en remuant.

7. Une fois la sauce épaissie, ajoutez le jaune d'œuf en mélangeant toujours, puis remettez la viande et servez.

Conseil : servez cette blanquette avec du riz ou des pommes de terre cuites à l'eau.

 Notes :

....

....

....

....

Plat
de lentilles

1. Mettez les lentilles dans une cocotte et versez le bouillon. Ajoutez l'oignon coupé en quatre, le thym et le laurier, puis portez à ébullition.

2. Faites cuire doucement à couvert pendant 20 minutes, puis ajoutez la saucisse et le lard et poursuivez la cuisson à découvert pendant 10 minutes environ.

3. Ajoutez du liquide en cours de cuisson si nécessaire, vérifiez la cuisson des lentilles et servez

15 mn
30 mn
Facile
4 personnes
de 1 à 3 €

Entre copains

200 g de lentilles vertes
1 saucisse de Morteau
1 tranche de lard
1 oignon
1 branche de thym
1 feuille de laurier
1 litre de bouillon de poule
Sel, poivre

Quiche
lorraine

1. Préchauffez le four à 180 °C (th. 6) et étalez la pâte avec le papier sulfurisé dans le moule à tarte.

2. Répartissez les lardons sur la pâte.

3. Fouettez les œufs avec la farine, versez le lait en mélangeant, puis ajoutez la crème.

4. Salez, poivrez, versez sur les lardons, couvrez de fromage et mettez au four pendant 30 minutes environ.

Conseil : servez la quiche chaude avec une salade verte bien assaisonnée au vinaigre balsamique.

10 mn
30 mn
Facile
4 personnes
de 1 à 3 €

Entre copains

1 rouleau de pâte brisée
150 g de lardons
50 g de crème fraîche épaisse
20 cl de lait
3 œufs, sel, poivre
1 c.s. de farine
50 g de fromage râpé

✎ 20 mn
🕐 20 mn
😋 Facile
🍴 2 personnes
🛒 de 3 à 5 €

Dîner
à deux

4 crêpes au
sarrasin

4 tranches de
jambon cuit

100 g de
fromage râpé

1 pincée
de muscade

50 g de beurre

50 g de farine

1 litre de lait

Sel, poivre

Crêpes jambon fromage

1. Faites fondre le beurre dans une casserole,
puis jetez-y la farine et mélangez bien.

2. Versez le lait peu à peu en mélangeant,
laissez cuire 5 minutes en mélangeant,
salez, poivrez et ajoutez la muscade.

3. Coupez le jambon en petits morceaux,
ajoutez-les avec le fromage à la sauce
et mélangez.

4. Garnissez chaque crêpe de sauce,
repliez les bords, puis roulez les crêpes.
Déposez-les deux par deux dans une poêle
avec du beurre et faites-les chauffer quelques
minutes avant de servir.

*Conseil : vous pouvez également
chauffer les crêpes dans le four.*

 Notes :

....

....

....

....

Les desserts

🖋 *10 mn*
🕐 *30 mn*
🗯 *Facile*
✗ *4 personnes*
🛒 *de 1 à 3 €*

Entre
copains

250 g de farine

2 œufs

50 cl de lait

**1 trait de rhum
brun ou d'eau de
fleur d'oranger**

Sel

Huile

Notes :

....

....

....

....

Crêpes
parfumées

1. Mettez la farine et une pincée de sel dans un saladier, incorporez les œufs, puis une cuillère d'huile.

2. Versez le lait petit à petit afin d'éviter les grumeaux et ajoutez enfin le parfum.

3. Vous pouvez laisser la pâte reposer pendant 1 heure pour qu'elle épaississe ou l'utiliser tout de suite.

4. Faites chauffer une poêle et versez un filet d'huile ; attendez que la poêle soit bien chaude et versez une louche de pâte en faisant pivoter la poêle dans tous les sens afin que la pâte s'étale bien.

5. Laissez cuire 1 minute à feu moyen, puis retournez la crêpe et faites encore cuire 1 minute.

6. Continuez jusqu'à ce que la pâte soit épuisée et dégustez les crêpes avec du sucre, du beurre, de la confiture…

Flan
au citron

5 mn
30 mn
Facile
2 personnes
de 1 à 3 €

1. Préchauffez le four à 180 °C (th. 6),
beurrez des ramequins et portez
2 litres d'eau à ébullition.

2. Faites chauffer le lait avec le jus
de citron et les zestes et retirez du feu
avant l'ébullition.

3. Fouettez les œufs avec le sucre et l'extrait
de vanille.

4. Versez le lait en fouettant sur les œufs,
puis versez dans les ramequins.

5. Déposez-les dans un plat rempli
à mi-hauteur d'eau chaude
et enfournez 30 minutes.

6. Les flans sont cuits lorsque la lame
d'un couteau en ressort sèche.

7. Laissez refroidir avant de servir.

Dîner
à deux

3 œufs

50 g de sucre

1 citron pressé
et zesté

2 gouttes d'extrait
de vanille

25 cl de lait

Notes :

....

....

....

....

✏ *15 mn*
🕐 *40 mn*
🐑 *Facile*
✂ *8 personnes*
🛒 *de 1 à 3 €*

Entre copains

200 g de farine

½ sachet de levure

100 g de beurre fondu

120 g de sucre roux

3 œufs

10 cl de lait

70 g d'amandes effilées

2 c.c. de cannelle

Cake aux amandes et à la cannelle

1. Préchauffez le four à 180 °C (th. 6) et beurrez un moule à cake.

2. Tamisez la farine avec la levure dans un saladier, puis incorporez les œufs avec un fouet.

3. Versez le beurre fondu, puis ajoutez le sucre et mélangez.

4. Versez le lait en remuant, ajoutez la cannelle et les amandes.

5. Si la pâte est trop épaisse, ajoutez un peu de lait, mélangez bien, puis versez dans le moule.

6. Mettez au four pendant 40 minutes en surveillant ; le cake est cuit si une lame plongée dedans en ressort propre.

 Notes :

....

....

....

....

Cake au chocolat et à la banane

✏ 25 mn
🕐 45 mn
🌣 Facile
✂ 8 personnes
🛒 de 1 à 3 €

1. Préchauffez le four à 180 °C (th. 6)
   et beurrez un moule à cake.

2. Tamisez la farine avec la levure dans un
   saladier et incorporez les œufs au fouet.

3. Versez le beurre, puis le lait en mélangeant ;
   ajoutez le sucre et le sucre vanillé et
   mélangez.

4. Râpez ou cassez grossièrement le chocolat,
   écrasez les bananes, puis incorporez-les
   à la pâte.

5. Versez dans le moule et mettez au four
   pendant 45 minutes environ en surveillant.

6. Le cake est cuit si une lame plongée
   dedans en ressort propre.

Entre copains

200 g de farine

100 g de beurre fondu

100 g de sucre

½ sachet de levure

2 bananes bien mûres

10 cl de lait

1 sachet de sucre vanillé

200 g de chocolat noir

👨‍🍳 Notes :

....

....

....

....

🖌 *30 mn*
🕐 *45 mn*
🐑 *Facile*
✂ *8 personnes*
🛒 *de 1 à 3 €*

Entre
copains

200 g de farine

½ sachet de levure

3 œufs

100 g de beurre
fondu

120 g de sucre

10 cl de lait

4 carottes

2 c.c. de cannelle

40 g de noix
de coco râpée

40 g de raisins
blonds secs

Cake
aux carottes

1. Préchauffez le four à 180 °C (th. 6)
et beurrez un moule à cake.

2. Épluchez les carottes, puis râpez-les.

3. Tamisez la farine avec la levure dans un
saladier et incorporez les œufs au fouet.

4. Versez le beurre, puis le lait en mélangeant
et ajoutez le sucre.

5. Incorporez la cannelle, la noix de coco,
les raisins, les carottes et mélangez.

6. Versez dans le moule à cake et mettez au
four pendant 45 minutes en surveillant.

🍴 Notes :

....

....

....

....

Cake à la confiture nappé au chocolat

✎ 20 mn
🕐 45 mn
💭 Facile
✕ 8 personnes
🛒 de 1 à 3 €

1. Préchauffez le four à 180 °C (th. 6) et beurrez un moule à cake.

2. Tamisez la farine avec la levure dans un saladier et incorporez les œufs au fouet.

3. Versez le beurre, puis le lait en mélangeant et ajoutez le sucre.

4. Versez un quart de la pâte dans un autre bol et incorporez-y la confiture.

5. Versez en alternant dans le moule une couche de pâte nature, puis une à la confiture, terminez par une couche nature.

6. Donnez un ou deux coups de cuillère dans le cake afin de mélanger légèrement les pâtes, puis mettez au four pendant 45 minutes en surveillant.

7. Cassez le chocolat dans un bol au bain-marie, portez la crème à ébullition, versez-la dessus, puis mélangez jusqu'à ce que le chocolat soit fondu ; réservez.

8. Une fois le cake tiède, démoulez-le et nappez-le de chocolat.

Conseil : saupoudrez le cake de noix de coco avant que le nappage ne refroidisse.

Entre copains

200 g de farine

½ sachet de levure

3 œufs

10 cl de lait

100 g de beurre fondu

100 g de sucre

1 pot de confiture au choix

100 g de chocolat noir

10 cl de crème fraîche liquide

🧑‍🍳 Notes :

📏 *15 mn*
🕐 *30 mn*
😊 *Facile*
✂ *6 personnes*
🛒 *de 1 à 3 €*

Entre copains

Pâte :

180 g de farine

60 g de beurre

90 g de sucre

Garniture :

2 mangues

4 pêches jaunes

20 g de beurre

20 g de sucre roux

1 c.c. de cannelle

Crumble de mangues et de pêches

1. Épluchez les fruits et coupez-les en gros morceaux.

2. Beurrez un plat à gratin, saupoudrez-le de sucre, répartissez les fruits et saupoudrez du reste de sucre et de cannelle.

3. Préchauffez le four à 180 °C (th. 6) et mettez la farine dans un saladier.

4. Ajoutez le beurre en petits morceaux, travaillez du bout des doigts, ajoutez le sucre et travaillez encore un peu la pâte pour obtenir des miettes.

5. Répartissez les miettes sur les fruits et mettez au four pendant 30 minutes environ.

Conseil : si le crumble se colore trop, couvrez-le d'une feuille de papier d'aluminium ; s'il est toujours blanc, passez-le sous le gril.

🍳 Notes :

....

....

....

....

Crumble de poires et de framboises

🖉 15 mn
🕐 30 mn
💭 Facile
✗ 6 personnes
🛒 de 1 à 3 €

1. Épluchez les poires, coupez-les en gros morceaux et passez les framboises sous l'eau.

2. Beurrez un plat à gratin, saupoudrez-le de sucre, répartissez les fruits et saupoudrez du reste de sucre.

3. Préchauffez le four à 180 °C (th. 6) et mettez la farine dans un saladier.

4. Ajoutez le beurre en petits morceaux, travaillez du bout des doigts, ajoutez le sucre et travaillez encore un peu la pâte pour obtenir des miettes.

5. Répartissez les miettes sur les fruits et mettez au four pendant 30 minutes environ.

Conseil : incorporez de la cannelle, de la noix de coco ou des flocons d'avoine dans la pâte pour plus d'originalité.

Entre copains

Pâte :

180 g de farine

60 g de beurre

90 g de sucre

Garniture :

6 poires mûres

250 g de framboises

20 g de beurre

20 g de sucre

 Notes :

....

....

....

....

✎ 20 mn
🕐 40 mn
😋 Facile
✗ 6 personnes
🛒 de 1 à 3 €

Entre copains

Pâte :

180 g de farine

60 g de beurre

90 g de sucre

Garniture :

1 kg de pommes

1 c.c. de cannelle

20 g de beurre

20 g de sucre

Crumble aux pommes

1. Épluchez les pommes, coupez-les en gros morceaux et mettez-les dans une casserole.

2. Ajoutez le beurre, le sucre et la cannelle, puis faites cuire pendant 10 minutes à couvert en mélangeant régulièrement.

3. Préchauffez le four à 180 °C (th. 6) et mettez la farine dans un saladier.

4. Ajoutez le beurre en petits morceaux, travaillez du bout des doigts, ajoutez le sucre, puis travaillez encore un peu la pâte pour obtenir des miettes.

5. Beurrez un plat à gratin et versez-y les pommes.

6. Répartissez les miettes sur les fruits et mettez au four pendant 30 minutes environ.

Conseil : ce crumble est encore meilleur avec quelques amandes effilées parsemées dessus.

 Notes :

....

....

....

....

Crumble de bananes et de melon

 20 mn

30 mn

Facile

6 personnes

de 1 à 3 €

1. Coupez les bananes en rondelles et prélevez la chair du melon en cubes.

2. Beurrez un plat à gratin, saupoudrez-le de sucre, répartissez les fruits et saupoudrez du reste de sucre.

3. Préchauffez le four à 180 °C (th. 6) et mettez la farine dans un saladier.

4. Ajoutez le beurre en petits morceaux, travaillez du bout des doigts, ajoutez le sucre, puis travaillez encore un peu la pâte pour obtenir des miettes.

5. Répartissez les miettes sur les fruits et mettez au four pendant 30 minutes environ.

Conseil : servez ce crumble avec un verre de porto rosso qui relèvera le parfum des fruits.

Entre copains

Pâte :

180 g de farine

60 g de beurre

90 g de sucre

Garniture :

4 bananes

1 melon

20 g de beurre

20 g de sucre

Notes :

....

....

....

....

20 mn
20 mn
Moyen
4 personnes
de 1 à 3 €

Entre
copains

60 g de farine

1 c.c. de levure

60 g de beurre

100 g de sucre

100 g de
chocolat noir

2 œufs

Gâteau moelleux
au chocolat

1. Préchauffez le four à 180 °C (th. 6) et
beurrez un petit moule à gâteau ou à gratin.

2. Faites fondre le beurre et le chocolat,
puis mélangez avec la farine.

3. Fouettez les jaunes d'œufs avec le sucre
jusqu'à ce que le mélange blanchisse.

4. Montez les œufs en neige bien ferme,
mélangez le chocolat aux jaunes, puis
incorporez les blancs.

5. Versez dans le moule et mettez au four
pendant 15 à 20 minutes.

*Conseil : servez ce gâteau encore chaud avec
une crème anglaise ou de la glace à la vanille.*

 Notes :

....

....

....

....

Rochers à la noix de coco express

10 mn
5 mn
Facile
6 personnes
de 1 à 3 €

1. Préchauffez le four à 180 °C (th. 6) et couvrez une plaque de papier sulfurisé. Mélangez les blancs avec le sucre, puis ajoutez la noix de coco ; si la pâte est coulante, ajoutez encore de la noix de coco.

2. En utilisant deux cuillères, déposez des tas de pâte en forme de rochers sur la plaque. Mettez-les au four pendant quelques minutes en surveillant : quand ils se colorent, sortez-les et laissez-les refroidir avant de les servir.

Vite fait
bien fait

2 blancs d'œufs

50 g de sucre

120 g de noix de coco râpée

Charlotte au chocolat

20 mn
12 h
Moyen
6 personnes
de 3 à 5 €

1. Faites doucement fondre le chocolat au bain-marie. Montez les blancs d'œufs en neige ferme en incorporant le sucre.

2. Versez le chocolat en mélangeant délicatement. Diluez le rhum dans 25 cl d'eau et trempez-y les biscuits pour en tapissez les parois du moule à charlotte.

3. Versez la moitié de la mousse puis couvrez d'une couche de biscuits trempés. Versez le reste de mousse, couvrez d'une nouvelle couche de biscuits et mettez au réfrigérateur pendant au moins douze heures avec une assiette dessus pour tasser un peu la préparation.

Dîner
à deux

30 biscuits cuillère

300 g de chocolat noir

2 c.s. de sucre en poudre

6 blancs d'œufs

10 cl de rhum ambré

✎ 10 mn

🕐 10 mn

🙂 Facile

✂ 2 personnes

🛒 de 1 à 3 €

Dîner
à deux

200 g de farine

1 sachet de levure

25 g de sucre

25 g de beurre

1 œuf

10 cl de lait

1 pincée de sel

Confiture
au choix

 Notes :

....

....

....

....

Scones
à la confiture

Ces petits gâteaux moelleux sont parfaits
pour un goûter à l'anglaise.

1. Préchauffez le four à 180 °C (th. 6) et
couvrez une plaque de papier sulfurisé.

2. Mettez la farine dans un saladier avec
la levure, le sel et mélangez.

3. Ajoutez le beurre en petits morceaux,
travaillez du bout des doigts pour obtenir
du sable puis ajoutez le sucre.

4. Battez l'œuf avec le lait, versez sur la pâte
et mélangez lentement avec une fourchette
pour obtenir une pâte souple ; si elle est trop
liquide, ajoutez un peu de farine.

5. Farinez un plan de travail et déposez
la pâte dessus ; farinez aussi la pâte afin
qu'elle ne colle pas. Étalez-le grossièrement
sur une épaisseur de 3 centimètres
et découpez des cercles de pâte.

6. Déposez-les sur la plaque et mettez-les
au four pendant 10 minutes environ ; ils
doivent rester blancs et être cuits à cœur.

7. Servez-les immédiatement avec du beurre
et de la confiture.

Clafoutis aux cerises

15 mn
25 mn
Facile
6 personnes
de 1 à 3 €

Entre copains

1. Préchauffez le four à 180 °C (th. 6)
et beurrez un plat à gratin.

2. Lavez les cerises et équeutez-les ; tamisez
la farine dans un saladier.

3. Incorporez les œufs au fouet, puis ajoutez
le sucre roux et le sucre vanillé.

4. Versez le lait, puis la crème en mélangeant ;
fouettez pour obtenir une pâte lisse.

5. Répartissez les cerises dans le plat, versez
la pâte dessus et mettez au four pendant
25 minutes environ.

6. Saupoudrez le clafoutis encore chaud
de sucre et laissez refroidir.

600 g de cerises

100 g de farine

3 œufs

15 cl de crème
fraîche

25 cl de lait

1 sachet de
sucre vanillé

100 g de
sucre roux

Notes :

....

....

....

....

✎ 20 mn
🕐 25 mn
🐾 Facile
✗ 6 personnes
🛒 de 1 à 3 €

Entre
copains

600 g de fruits

100 g de farine

3 œufs

50 cl de lait

150 g de
sucre roux

Parfum au choix :
fleur d'oranger,
sucre vanillé,
kirsch, Grand
Marnier...

Clafoutis
tutti frutti

Une délicieuse recette qui fait appel
à l'imagination ou qui permet de préparer
les fruits qui mûrissent trop vite.

1. Préchauffez le four à 180 °C (th. 6)
   et beurrez un plat à gratin.

2. Lavez les fruits et coupez-les en morceaux ;
   tamisez la farine dans un saladier.

3. Incorporez les œufs au fouet, puis ajoutez
   le sucre roux et le sucre vanillé.

4. Versez le lait en mélangeant, ajoutez le
   parfum et fouettez pour obtenir une pâte
   lisse.

5. Répartissez les fruits dans le plat, versez
   la pâte dessus et mettez au four pendant
   25 minutes environ.

6. Saupoudrez le clafoutis encore chaud
   de sucre et laissez refroidir.

📖 Notes :

....

....

....

....

Tiramisu

Le tiramisu classique, simple
à préparer, est toujours très apprécié.

25 mn

Facile

6 personnes

de 1 à 3 €

Entre
copains

1. Mélangez les jaunes d'œufs avec le sucre
   jusqu'à ce que le mélange blanchisse.

2. Ajoutez le mascarpone, puis 2 cuillères
   d'Amaretto.

3. Montez les blancs en neige bien ferme
   et incorporez-les à la crème.

4. Mélangez le café avec une cuillère
   d'Amaretto et trempez-y les biscuits que
   vous déposez au fond d'un plat à gratin.

5. Une fois le plat tapissé, versez une couche
   de crème et remettez une couche de biscuits
   trempés.

6. Couvrez de crème et recommencez s'il vous
   reste des ingrédients, puis finissez par de la
   crème, sinon couvrez de film et mettez au
   réfrigérateur pendant au moins 6 heures.

7. Avant de servir, saupoudrez de cacao amer.

20 biscuits
à la cuillère

250 g de
mascarpone

2 œufs

3 c.s. d'Amaretto

50 cl de café fort

50 g de sucre

2 c.s. de cacao
amer

*Conseil : préparez ce dessert dans
des ramequins ou dans des verres
pour ne pas l'abîmer en le servant.*

Notes :

....

....

....

....

🖊 25 mn
👨‍🍳 Facil
✗ 6 personnes
🛒 de 1 à 3 €

Entre
copains

20 biscuits
à la cuillère

250 g de
mascarpone

2 œufs

20 cl de sirop
d'érable

50 cl de café fort

50 g de sucre

2 c.s. de noix
de coco râpée

Tiramisu
au sirop d'érable

1. Mélangez les jaunes d'œufs avec le sucre
jusqu'à ce que le mélange blanchisse.

2. Ajoutez le mascarpone, puis la moitié
du sirop.

3. Montez les blancs en neige bien ferme
et incorporez-les à la crème.

4. Mélangez le café avec le reste du sirop
et trempez-y les biscuits que vous déposez
au fond d'un plat à gratin.

5. Une fois le plat tapissé, versez une couche
de crème et remettez une couche de biscuits
trempés.

6. Couvrez de crème et recommencez s'il vous
reste des ingrédients, puis finissez par de la
crème, sinon couvrez de film et mettez au
réfrigérateur pendant au moins 6 heures.

7. Avant de servir, saupoudrez de noix
de coco.

Notes :

....

....

....

....

*Conseil : si vous préférez le tiramisu avec
de l'alcool, ajoutez un trait de rhum ambré
dans la crème au mascarpone.*

Tiramisu au melon et à la noix de coco

25 mn
Facile
6 personnes
de 1 à 3 €

Entre copains

1. Mélangez les jaunes d'œufs avec le sucre jusqu'à ce que le mélange blanchisse.

2. Ajoutez le mascarpone, puis la liqueur.

3. Montez les blancs en neige bien ferme et incorporez-les à la crème.

4. Émiettez les biscuits et répartissez-les au fond d'un plat à gratin.

5. Une fois le plat tapissé, versez une couche de crème et remettez une couche de biscuits.

6. Couvrez de crème, répartissez les morceaux de melon, versez le reste de crème, couvrez de film, puis mettez au réfrigérateur pendant au moins 6 heures.

7. Avant de servir, saupoudrez de noix de coco.

18 rochers à la noix de coco

250 g de mascarpone

2 œufs

3 c.s. de liqueur de noix de coco

50 g de sucre

1 melon

2 c.s. de noix de coco râpée

Conseil : n'hésitez pas à changer de fruit : bananes, mangues, kiwis…

Notes :

....

....

....

....

🖊 *25 mn*
😊 *Facil*
✂ *6 personnes*
🛒 *de 1 à 3 €*

Entre copains

500 g de framboises

20 biscuits à la cuillère

250 g de mascarpone

2 œufs

50 g de sucre

2 c.s. de rhum

4 c.s. de sirop de framboise

2 c.s. de cacao amer

 Notes :

....

....

....

....

Tiramisu aux framboises et au chocolat

Voici une version originale
et très gourmande du tiramisu.

1. Mélangez les jaunes d'œufs avec le sucre jusqu'à ce que le mélange blanchisse.

2. Ajoutez le mascarpone, puis le cacao.

3. Montez les blancs en neige bien ferme et incorporez-les à la crème au cacao.

4. Diluez le sirop et le rhum dans 25 centilitres d'eau et trempez-y les biscuits que vous déposez au fond d'un plat à gratin.

5. Une fois le plat tapissé, versez une couche de crème et remettez une couche de biscuits trempés.

6. Couvrez de crème et recommencez s'il vous reste des ingrédients, puis finissez par de la crème, sinon couvrez de film et mettez au réfrigérateur pendant au moins 6 heures.

7. Avant de servir, couvrez de framboises fraîches.

Conseil : si vous avez de la noix de coco râpée, saupoudrez-en le tiramisu avant de servir.

Biscuits sablés

✎ 30 mn
🕐 1 h
⧗ 10 mn
🙂 Facile
✗ 30 pièces
🛒 de 1 à 3 €

Des biscuits craquants et faciles à préparer : c'est Idéal pour les fêtes de fin d'année.

> Entre copains

1. Mettez la farine dans un saladier, ajoutez-y le sucre, l'œuf et travaillez avec les mains.

2. Ajoutez le beurre ramolli, pétrissez bien et ramassez en boule.

3. Couvrez la pâte d'un linge et mettez-la au réfrigérateur pendant 1 heure au moins.

4. Préchauffez le four à 180 °C (th. 6).

5. Étalez la pâte sur un plan fariné à une épaisseur d'environ 2 millimètres et découpez-y des biscuits à l'emporte-pièce.

6. Déposez les biscuits sur une plaque couverte de papier sulfurisé et faites-les cuire pendant 5 à 10 minutes.

250 g de farine

150 g de beurre

1 œuf

80 g de sucre

Conseil : badigeonnez les sablés de jaune d'œuf et garnissez-les d'amandes effilées, de noix de coco, ou assemblez-les deux par deux une fois cuits avec de la confiture.

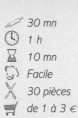 Notes :

....

....

....

....

✎ 20 mn
🕐 5 mn
😶 Facile
✗ 6 personnes
🛒 de 1 à 3 €

Entre copains

100 g de chocolat noir

3 blancs d'œufs

2 c.s. de crème fraîche

Mousse au chocolat

Voici la traditionnelle et délicieuse mousse au chocolat maison.

1. Faites doucement fondre au bain-marie le chocolat avec la crème.

2. Montez les blancs d'œufs en neige bien ferme.

3. Incorporez le chocolat aux œufs en mélangeant délicatement.

4. Versez cette mousse dans des ramequins et mettez au réfrigérateur pendant au moins 6 heures.

Conseil : cette mousse est sans sucre ajouté, mais vous pouvez y mettre un peu de sucre supplémentaire ou préparer la mousse avec du chocolat au lait qui est déjà sucré.

 Notes :

....

....

....

....

Far breton

Dessert irrésistible
pour tous les gourmands !

10 mn
45 mn
Facile
4 personnes
de 1 à 3 €

Entre copains

1. La veille, faites tremper les pruneaux avec le rhum et un peu d'eau chaude dans un récipient couvert.

2. Préchauffez le four à 210 °C (th.7) et beurrez un plat à gratin.

3. Versez la farine dans un saladier et incorporez les œufs en travaillant au fouet.

4. Versez le lait en mélangeant bien pour éliminer les grumeaux.

5. Ajoutez le sucre, puis les pruneaux avec le jus et mélangez.

6. Versez dans le plat et mettez au four pendant 45 minutes en surveillant ; une fois que le flan prend, baissez la température à 180 °C (th. 6).

150 g de farine

100 g de sucre

50 cl de lait

2 œufs

150 g de pruneaux

1 c.s. de rhum

Conseil : saupoudrez le far de sucre avant qu'il ne refroidisse.

Notes :

....

....

....

....

✎ 20 mn

🕐 20 mn

😋 Facile

✕ 4 personnes

🛒 de 1 à 3 €

Vite fait
bien fait

100 g de
chocolat noir

100 g de beurre

100 g de farine

½ sachet
de levure

150 g de sucre

2 œufs

100 g de
cerneaux

1 pincée
de sel

Brownie américain

Le meilleur de l'Amérique se trouve dans ce gâteau moelleux et savoureux.

1. Préchauffez le four à 180 °C (th. 6) et beurrez un moule à gratin carré ou rectangulaire.

2. Faites fondre au bain-marie le chocolat avec le beurre, puis incorporez-y les œufs et le sucre.

3. Mélangez la farine avec le sel et la levure ; ajoutez-les aussi.

4. Cassez grossièrement les cerneaux et ajoutez-les.

5. Versez la pâte dans le moule et mettez au four pendant 25 minutes environ.

6. Le gâteau doit être bien moelleux au milieu ; coupez-le en carrés et laissez-le refroidir un peu avant de le déguster.

Conseil : le brownie peut se garder quelques jours dans une boîte hermétiquement fermée.

 Notes :

....

....

....

....

Cookies

20 mn
10 mn
Facile
18 pièces
de 1 à 3 €

Des vrais cookies bien chauds :
personnes ne peut résister.

Vite fait
bien fait

1. Préchauffez le four à 180 °C (th. 6) et
   couvrez une plaque de papier sulfurisé.

2. Mélangez les deux sucres avec le beurre
   en travaillant à la cuillère en bois.

3. Incorporez l'œuf et la vanille toujours
   avec la cuillère.

4. Ajoutez la farine, mélangez bien, puis
   ajoutez le chocolat et les noisettes.

5. Déposez des petits tas de pâte sur
   la plaque, puis mettez-les au four
   pendant 10 minutes en surveillant.

*Conseil : les biscuits sont cuits quand vous pouvez
les faire glisser sur le papier sans qu'ils se déforment.
Surveillez bien la cuisson, car ils brûlent vite.*

250 g de farine

125 g de beurre
ramolli

80 g de sucre
blanc

80 g de sucre roux

1 œuf

1 c.c. de sel

1 c.c. d'extrait
de vanille

100 g de pépites
de chocolat

80 g de noisettes
grossièrement
hachées

Notes :

....

....

....

....

✏️ 20 mn

🕐 45 mn

💭 Moyen

✂️ 8 personnes

🛒 de 1 à 3 €

Entre copains

1 rouleau de pâte sablée

500 g de fromage blanc

4 œufs

100 g de crème fraîche

125 g de sucre

30 g de farine

½ citron

Tarte au fromage blanc

Une tarte moelleuse et parfumée qui plaira à tous les amateurs de douceurs.

1. Préchauffez le four à 180 °C (th. 6), beurrez un moule à tarte avec des bords assez hauts, puis étalez-y la pâte.

2. Mélangez le beurre avec le sucre à la cuillère en bois.

3. Incorporez 3 jaunes d'œufs, puis la farine et mélangez bien.

4. Mélangez le fromage blanc avec la crème et le jus du citron, puis ajoutez ce mélange à l'autre préparation.

5. Montez les blancs en neige très ferme et incorporez-y la préparation au fromage blanc.

6. Versez sur la pâte, dorez avec le dernier jaune d'œuf et mettez au four pendant 45 minutes.

7. Laissez refroidir avant de servir.

 Notes :

....

....

....

....

Conseil : vous pouvez faire votre pâte sablée en suivant la recette des sablés à la page 201.

Tarte aux pommes de grand-mère

30 mn
30 mn
Facile
8 personnes
de 1 à 3 €

Voici une tarte qui parfume agréablement la cuisine pour ouvrir l'appétit des gourmands.

Entre copains

1. Préchauffez le four à 180 °C (th. 6), beurrez un moule à tarte, puis étalez-y la pâte.

2. Lavez les pommes, épluchez-les et coupez-les en demi-quartiers.

3. Saupoudrez la pâte d'amandes, puis répartissez les pommes dessus.

4. Fouettez les œufs avec la farine, ajoutez le sucre, puis la crème et versez sur les pommes.

5. Mettez au four pendant 30 minutes environ, saupoudrez de sucre et de cannelle à la sortie du four et laissez refroidir.

Conseil : la poudre d'amandes permet d'absorber le liquide et donne une texture et un parfum gourmands à la tarte.

1 rouleau de pâte sablée

1 kg de pommes sucrées

20 g d'amandes en poudre (facultatif)

2 œufs

20 cl de crème fraîche

50 g de sucre

Cannelle

Notes :

....

....

....

....

15 mn
30 mn
Facile
8 personnes
de 1 à 3 €

Entre
copains

200 g de farine

1 sachet
de levure

3 œufs

150 g de beurre

150 g de sucre

1 c.c. d'extrait
de vanille

1 pot
de confiture

Gâteau fourré
à la confiture

*Ce gâteau est très simple à préparer
et le résultat délicieux.*

1. Préchauffez le four à 180 °C (th. 6)
et beurrez un moule rond à gâteau.

2. Mettez la farine et la levure dans un saladier,
puis incorporez les œufs au fouet.

3. Faites légèrement fondre le beurre,
ajoutez-le en mélangeant ; incorporez
le sucre et la vanille.

4. Mélangez bien, versez la moitié de la pâte
dans le moule et mettez au four pendant
30 minutes.

5. Sortez le gâteau et faites cuire
de même le reste de pâte.

6. Une fois les gâteaux refroidis, couvrez-en
un de confiture et posez l'autre dessus.

Notes :

....

....

....

....

*Conseil : vous pouvez aussi faire
un seul gros gâteau et le couper en deux.*

Pain perdu

Ne jetez plus votre pain rassis. Il va se transformer en un dessert plein de nostalgie.

20 mn
5 mn
Facile
4 personnes
de 1 à 3 €

Vite fait bien fait

1. Mélangez le lait avec le sucre et le sucre vanillé.

2. Fouettez-le pour que le sucre se dissolve, puis incorporez l'œuf et versez le mélange dans une assiette creuse.

3. Faites tremper les tranches de pain dans la préparation jusqu'à ce qu'elles soient imbibées.

4. Faites fondre une noix de beurre dans une poêle et faites-y dorer les tranches de pain des deux côtés.

5. Servez bien chaud et saupoudrez de sucre.

Conseil : vous pouvez aussi saupoudrer les tranches de pain avec de la cannelle selon vos envies.

200 g de pain rassis en tranches

25 cl de lait

1 œuf

50 g de sucre

1 sachet de sucre vanillé

Notes :

....

....

....

....

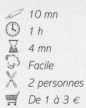

✐ *10 mn*
🕐 *1 h*
⧗ *4 mn*
☺ *Facile*
✗ *2 personnes*
🛒 *De 1 à 3 €*

Dîner
à deux

100 g de farine

**½ sachet
de levure**

15 g de sucre

1 œuf

50 g de beurre

15 cl de lait

1 pincée de sel

Pancakes

*Ces pancakes sont très appréciés
les dimanches matin pour
un petit-déjeuner tardif...*

1. Mélangez la farine, la levure, le sel
et le sucre dans un saladier.

2. Battez l'œuf avec le lait, puis incorporez le
tout en versant petit à petit et en mélangeant.

3. Faites fondre le beurre et ajoutez-le.

4. Couvrez la pâte d'un linge et laissez reposer
pendant 1 heure.

5. Faites chauffez une poêle, puis mettez-y une
noix de beurre ou un peu d'huile.

6. Versez une petite louche de pâte ; une
fois que des bulles se forment, retournez le
pancake et faites cuire de l'autre côté.

*Conseil : servez les pancakes chauds avec
du sirop d'érable, du beurre et de la confiture.*

 Notes :

....

....

....

....

Smoothie gourmand

Des fruits et de la crème fouettée pour un dessert de rêve et facile à préparer.

 10 mn
Facile
2 personnes
de 1 à 3 €

Dîner
à deux

1. Mettez les fruits dans le bol du mixeur.

2. Ajoutez les yaourts, mixez pendant 1 minute, puis versez dans les verres.

3. Montez la crème en chantilly au fouet et incorporez le sucre et le sirop.

4. Déposez 1 cuillère de crème sur chaque verre et répartissez des miettes de biscuits.

5. Servez avec quelques fruits frais.

250 g de fraises ou de framboises

2 yaourts brassés

1 trait de sirop de fraise

2 c.s. de sucre

10 cl de crème fraîche liquide

4 biscuits

Conseil : quelques idées de biscuits pour la garniture : spéculoos, rochers à la noix de coco, macarons…

Notes :

....

....

....

....

Collection cuisine

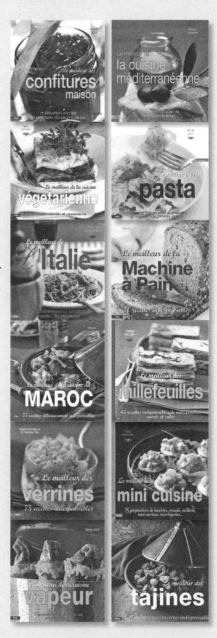

www.city-editions.com